年粵日 DAY-BY-DAY

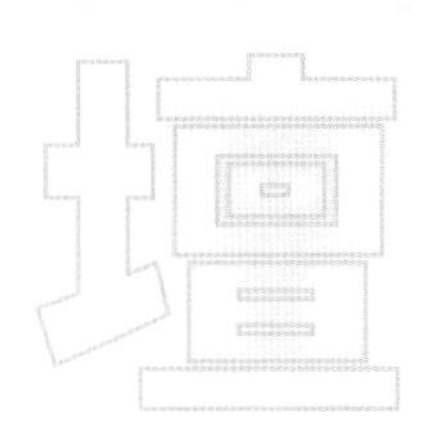

還好我們有廣東歌

非凡出版

推薦序一

Fight For 廣東歌的未來

Edward Chan

在日常生活上，我有點為食；在工作上，我有點工作狂。無特別原因，就是出於「喜愛」。

一直覺得音樂製作和烹飪過程很相似，創作人就像廚師一樣，將曲、詞、編、唱等材料，透過知識、技巧呈現給大眾，食客品嚐過後，再將他們的品菜感受送回。

於我來說，得到獎項，可能就是等同廚師取得了米芝蓮的一星評級。而雖然未能得獎，卻仍獲得大眾所喜愛，當為更難得的二星評級。再貪心一些，如果可以將自己的所知所想傳承開去，為別人帶來正面的影響，相信將會是我畢生所追求的三星榮譽。

「你，這裏碰碰，那裏碰碰。我，這個碰碰，那個碰碰。」

過去數年，在廣東歌樂壇積累已久的力量開始爆發，新人和作品數量直線上升，音樂風格和歌詞內容愈來愈多樣化。作為監製，我和新歌手、新創作人走在一起，他們拿着青春的本錢，我就運用累積的經驗，我們一起交響出有說話的作品，例如：有對外用來抒發倔強性格的；亦有對內傾聽自己的；還有獻給已故摯友或紀念一班人的一個時刻的……

然後，便會想到廣東歌樂壇的未來。

暫時只能說這個熱度尚在蔓延中——未來，還未來。

而現在，繼續想創，繼續意想不到，繼續以音符去呈現作詞人的文字，最後以歌曲形式呈現整個製作，從而抒發自己對人、對事、對世界的感受。

多謝年粵日的邀請，讓我可以從另一角度，回顧一下過去五年在音樂上所做過的、遇上的，並藉此機會用文字去記錄音樂。

收筆之時，茶餐廳夥計放低一個蛋撻、一杯港式咖啡，食完就回去錄音室，繼續 Fight For ______。

二〇二二年八月

推薦序二

同一種語言，一起走過

小克

去年一月二日，睡醒上廁所碌一轉FB，碌到火都嚟。

也知道「樂壇已死」四隻字絕非首度出現，我雖不算多產，但都算樂壇一份子，每次聽到這種評語都覺得是在侮辱整個行業。去年又有人說「樂壇已死」，這次就更生氣！因為我覺得年輕一輩音樂人於前年已開始發力，為樂壇灌入了一股新的生命力，歌曲題材多元，主流獨立慢慢融合，歌已無分主打或Sidecut，而且個性鮮明，這樣都算「死」？嬲到我決定要做首歌去回應這四隻字。

然後，就像電視劇一樣：陳奕迅事件、Chill Club頒獎禮、MIRROR ERROR全面走紅、追星及應援文化的出現……都像早已安排好的劇情，讓香港樂壇極速改朝換代。其後一年多，曲詞編監每做一首新歌都會得到聽眾留言感謝，電台DJ會收到應援小禮物，業餘歌手 cover 新歌速度之驚人，網上樂評如雨後春筍……都令人覺得，這種復甦、這種「愛」，真的來得有點太快。

有人説這是社會運動後港人一廂情願的情感投射，有人説本土主義最終已釀成盲撐習慣，亦有人説這種情緒勒索長遠來説會影響年輕人對流行文化的批判能力。站於社會學角度，可能都沒説錯，都值得思考。但我情願選擇簡單地以育兒角度去看——當今活躍於樂壇的，是一群年輕人，是一班孩子。孩子有志願有抱負，總比沒有好。我兒八歲，他説長大後要建三艘超級巨型遊輪，又有誰敢斷言這沒可能發生？當然，過程中，上天總會給你難關，如 MIRROR 演唱會那場大劫，需要同行反思的東西太多，但連徬徨無助中的「集氣」兩字都會被恥笑，就證實網民有時實在太欠同理心。

説到底只是同理心，樂壇虛不虛火並非憑一兩年時間便可定論，也並非靠行外人去證明。樂壇這波現象的確是由 MIRROR 帶起，但要承接下去，肯定不只他們十二人，那就讓所有孩子們自己去證實吧！

時代曲的任務就是記錄時代興衰，能夠用共同語言去寫去唱去評去記錄，真好。

最後，就以一首還未派台的新歌中幾句歌詞作結：「誰喜歡唱歌／命運也許不容／不用怕時代曲折／同一種語言／一起走過」。

二〇二二年八月

推薦序三

廣東歌的浪漫主義

黃妍

近幾年大家對於樂壇的關注度大增，且不限於主流音樂，非主流音樂亦備受關注。而不同種類的音樂、不同風格的歌手都能有機會得到大眾的注目，這對於音樂人而言，是值得興奮的。

近年世界轉變之大令人多了思考——對自身的、對世界的、對未來的、對過去的，對於傷痛和快樂也許有了新的定義，對於收藏及分享的衡量也有了新刻度。因着這些轉變，大家內心醞釀出了許多情緒及念頭，並選擇以擅長的方式記錄、表達，希望世界能吸收這些觀點與情緒。因此近年愈來愈多人願意創作，而有趣的是，也更多人願意將私密的想法與情感投放在作品內。由於情感更誠實、真摯，作品力度更大，更有靈魂，因此也更容易連接至人的內心。

除了創作者本身，樂迷近年聽歌的習慣亦與幾年前有所不同。今天的樂迷除了會聆聽歌曲的旋律，仔細解讀歌詞，亦會深研作品的創作意念及背後故事。除了演唱者本身，他們還想去了解作詞人、編曲人，甚至演奏者的心思，這對於創作人而言是一份極大的推動力。

另一方面，我發現樂迷的包容性亦比往年高。例如以往普羅大眾不感興趣的 RAP（說唱），近年亦已成為潮流。聽眾更高的接受力使創作者更有勇氣去創造不同類型的歌曲，並放膽地推開以往無形的限制，作出更多新嘗試，例如將多種曲風的元素放在同一首歌裏，又例如會衍生出不同的 Crossover 合作。這使作品更多元化，也令樂壇的日常更精彩。

有高質的樂迷，便會造就更多高質的音樂人，因為樂迷本身就是樂壇裏的重要一員。兩者之間的關係是雙向的，也是浪漫的。希望音樂人和樂迷可以互相扶持，一直浪漫下去。

二〇二二年八月

前言

你最近在聽甚麼廣東歌？

Clover@ 年粵日

「呢首歌好浪漫啊！好鍾意姊姊把聲（張蔓姿），妹妹（張蔓莎）把聲都好唔錯，兩姊妹都好有才華啊！」

「我最近聽一隊 Band 叫 Zpecial，我讀得啱唔啱？我見你都有 follow 佢哋 IG。」

「我呢排鍾意聽盧華，你有冇聽佢新碟？然後我細佬呢排聽緊 Room307，我有同佢一齊聽，覺得都唔錯！」

「我好鍾意 Jace 呀，準備去睇佢演唱會！」

「你快啲去聽 TomFatKi 首新歌，個 MV 好用心製作，firm！」

……

以上對話來自近年向我介紹他們在聽的廣東歌的朋友，他們提及的歌手囊括不同的類型，有簽了唱片公司的歌手，也有獨立歌手，有在其他界別出道然後成為歌手的，有大眾眼中的 pop singer，也有狹義認為的 underground 或是 indie……「多元」會是我想用來形容近年香港樂壇的詞彙。

作為一個廣東歌忠實聽眾，「樂壇已死」這個論斷從來沒有在我心中出現過。哪怕在那段市面上情歌、K 歌氾濫的年代，我仍能從中找到自己喜歡的、對我有影響的歌。只不過那時候如果問身邊朋友最近在聽甚麼歌的時候，得到的答案和近年得到的頗為不同罷了。

大眾對樂壇關注度少了就代表樂壇已死，每每看到類似的論斷時都覺得這是在傷害一眾為樂壇賣力的音樂人，以及愛聽廣東歌的樂迷。

林家謙在出道不久後的一個訪問中，曾這樣說過：「在現在這個世代，都沒有以往那種龍爭虎鬥或你死我亡的競爭，反而是大家一起合力，再建好整個樂壇會比較好。整個音樂市場就是眼見這麼小，而且越來越小，那還有甚麼好爭的呢？唯有將這個餅（音樂工業）整大，靠大家一起做出來。」大家，指的不僅是行內音樂人，還有作為歌迷的我們。

二〇二一年，新人競爭之激烈，連叱咤樂壇流行榜頒獎典禮都需要增設男、女和組合新力軍共九個獎項（以往只有金銀銅三個獎項），此外入圍「我最喜愛的男、女歌手、組合」最後五強也不乏新生代歌手的名字。還出現各式用心的應援活動，各場一票難求的演唱會，由偶像代言的產品迅速售罄等現象，這些都在向我們證明現今的樂壇，確實在「浩浩蕩蕩迎來另一新世紀」。

很慶幸兩年之後，年粵日能夠出版第二本實體書籍，以近五年出道的新生代歌手為主題，並向讀者介紹他們和他們動聽的好歌。與此同時，也希望樂迷在支持自己偶像時，不妨多留意其他歌手和他們的作品，相信你會在當中認識新聲音，找到心頭好。在整理這些新生代歌手作品時，也樂見詞、曲、編、監欄出現很多同樣是新生代創作人的名字。大概，這就是我們所身處的，由內到外散發着活力，充滿新血的樂壇。

希望下一次向友人詢問「你最近在聽甚麼廣東歌」的時候，會得到更多意想不到的答覆，然後迫不及待地與我分享近日拾得好歌的興奮、幸福和滿足感。

二〇二二年八月

目錄

CHAPTER ONE

MALE SINGERS 男歌手篇

CHAPTER
TWO

FEMALE
SINGERS

女歌手篇

CHAPTER THREE

GROUP SINGERS

組合篇

CHAPTER FOUR

BANDS

樂隊篇

CHAPTER ONE

洪嘉豪

林家謙

吳林峰

陳卓賢

姜 濤

柳應廷

男歌手篇

MALE SINGERS

01 洪嘉豪

「嗚謝
任何劇情絕不拋低我
讓無限橋段光陰一起消磨
圍繞我」

半天空檔

作曲
洪嘉豪

填詞
陳詠謙

編曲
Larry Wong

監製
Larry Wong

ISSUE 2018

Written by Recole

大概沒有哪一位女生，可以內心毫無波瀾地聽完這首《半天空檔》。

在輕鬆歡快的旋律，清澈溫柔的聲線之中，直率的表情達意，一切元素加起來都像三分糖度那般剛剛好，甜而不膩，由頭到尾沒有一句「我愛你」，卻處處都顯得深情。

作為洪嘉豪的出道曲，《半天空檔》帶着幾分孩子氣與滿溢的真誠，Kaho的聲線也令這首歌充滿了乾淨的氣息，讓人覺得青春、純粹，溫柔又不失俏皮。「我趁有半天空檔，為你跑一趟」，初次聽到這句歌詞，原以為男主角不過是要利用閒暇時間為心愛的人做一次跑腿，或是幫忙完成一件事，再細聽下去才忽而明白——這半天空出來的時間，原來都是男生為了接下來的約會而進行的一次預演。

為了與心儀女孩的一次約會，這一天，他特地空出了半天的時間，將女孩喜歡或是他認為可以吸引女孩的地方都跑了一趟。玩樂的地點和餐廳都已列好，在計劃好行程後，他獨自提前踩點體驗，各種當天可能會發生的情節都在他的腦海裏上演了一遍，只為確保這次約會的每一個環節都不出差錯。

在旁人看來，這樣的浪漫或許是有些失控的，畢竟在這個人人都你追我趕的時代，這般腳踏實地地精心準備一場約會實在是顯得奢侈。但聽一聽這樣的故事，剎那間也好像是重返了一遍年少，再次經歷了一場讓人怦然心動的戀愛。歌聲中流露出的那份發自內心的喜悅，彷彿將這個男生的形象立體地呈現在了我們眼前，有種貼地而又讓人動容的親切。

平日充斥負面情緒的歌曲聽多了，偶爾也期待這種清新。現代人愛把悲傷當作深刻，總是忘了簡簡單單地享受生活來之不易的一點點幸福。這首歌我喜歡在晴天散步的時候聽，不緊不慢帶着小小的雀躍，路上萬物似乎都變得友善，讓人想起《今天只做一件事》中的「因此我喜歡花一天感覺一切是愛」，滿是對世界的熱愛與期待。

而洪嘉豪這個驟眼看與日本影星木村拓哉有幾分相似的陽光男孩，以這樣一首清新輕快的作品在各位樂迷前初亮相，也像是他在正式當上唱作歌手後的一次真正演練。曾被張敬軒公開誠意推薦，又被師姐衛蘭多番提攜的他，創作這首《半天空檔》「無非想吸引你眼光」。不知道在聽過之後，你又會否為他送上「甜笑」這個最佳答案呢？

十號儲物櫃

作曲
洪嘉豪

填詞
林寶

編曲
Larry Wong

監製
Larry Wong

ISSUE 2019

Written by man 仔

每一次搬家，我都總會在新家騰出一格櫃桶，將自己成長以來最珍貴的物品存放在裏面，遊戲機、MP3、舊手機、CD、明信片、雜誌、生日卡、貼紙相，還有去各地旅行時收集的紙幣和紀念品等，雖然也很少主動翻開，但知道它們一直靜靜地躺在裏面，就會有種很安心的感覺。

相信很多念舊的人也有專屬於自己過去的一個「儲物櫃」，歌手洪嘉豪也不例外，從小到大喜歡踢足球的他，對「十號」這個主力號碼情有獨鍾，於是索性將自己有份創作的歌曲取名為

《十號儲物櫃》。

在這個「儲物櫃」中，填詞人林寶將 Kaho 許多私家珍藏放入了其中，Shine 的唱片、偶像的球衣、日版的街霸遊戲、聖鬥士的漫畫、手辦等等，每一件物品都承載着 Kaho 的青春記憶和成長點滴，若然隨便哪一件失蹤找不回來了，對他來說都是可怕的事情。

隨着時間的推移，我們的興趣和愛好也會不斷發生轉變，但每當我們翻開這個儲物櫃，回顧不同階段的自己以及一路走來的印記，便會知道「舊時傷心多赤裸，現時開心怎樣過」，並鼓勵我們無論如何都要繼續「竭力娛樂，埋首工作」，讓自己活得快樂最重要。

網上流傳着「男人至死是少年」這樣一句話，在我看來它也並非一個純貶義的形容。而洪嘉豪以及這首歌曲，對這句話有着更為合理的詮釋和呈現。男人的世界有時候很簡單，努力工作是為了實現兒時的夢想或者彌補以前的遺憾。如果遇到一些不清不楚的問題，「大可將錯就錯」也不失為一種聰明的態度；面對瑣碎的事情，旁人以為我們很隨便或者很不理智，但或者那事實就不過如此呢，何必較真把它弄複雜了呢。

「若世間太多繁瑣，仍舊多簡單是我」，藉這首《十號儲物櫃》，洪嘉豪既在訴說自己的心聲，同時亦希望提醒聽眾，哪怕這個世界多麼複雜和變化莫測，永遠都要謹記騰空一個位置，給內心最簡單和真實的自己，偶爾回來重新溫習「他」，別讓社會磨掉自己的稜角和嚮往。

「未來的獎盃，未知低檔高檔，願每天有禮物給我」，就像Kaho自己曾做的分享，有些事情其實我都知道做了可能是錯的，但偏偏我們做了，偏偏我們慶幸當日做了。

林家謙 02

「一個人原來都可以盡興
多了人卻還沒多高興」

特倫斯夢遊仙境

作曲
林家謙

填詞
Oscar

編曲
Vigilant Nation / 林家謙

監製
周錫漢 / 林家謙

ISSUE 2020

Written by Lesley

二〇二一年最後一天，林家謙在社交媒體上總結自己這一年的作品，並用「x」代替了所有漢字，以「密碼」的形式公開他的年度TOP3歌曲。很多人在評論區羅列他們的年度最愛，也有人在猜林家謙列出的七字歌名究竟指代《SEVEN》裏的哪一首作品。

《在空中的這一秒》《時光倒流一句話》《難道喜歡處女座》……似乎粉絲更常常提起這些歌曲的名字。但《SEVEN》之中，如果讓我選出一首年度最愛，一定是《特倫斯夢遊仙境》。

歌曲的名字裏包含着歌手的英文名字，想來就覺得這首歌對歌手本人而言一定有着特殊的意義。由二〇一四年周柏豪的《關於我們》開始，林家謙拉開了自己作為作曲人的序幕；二〇一九年，林家謙以單曲《下一位前度》正式出道，成為獨立唱作歌手，並於二〇二一年獲得「叱咤樂壇男歌手銀獎」。承接着第一張專輯《MAJOR IN MINOR》，林家謙以這首《特倫斯夢遊仙境》開啟了第二張專輯《SEVEN》的旅途。不同於小說《愛麗絲夢遊仙境》裏愛麗絲一腳踩進兔子洞之後所展開的童話般的奇幻旅行，特倫斯的世界始於「噩耗」、「隔膜」、「煩惱」等暗黑詞語，從那些陰影裏生長出夢，夢裏推開一扇門，就像乘舟探到一片桃花源，輕快又古靈精怪。

選擇這首歌的另一個原因是這首歌的創作本身。《特倫斯夢遊仙境》突破了林家謙之前的創作風格，但同時又保有着他強烈的個人風格。大篇幅的假聲讓人總有一種聲音不實、沒有落地的感覺，而過於頻繁的轉音又可能容易讓人感覺累贅，但二者於這首歌中卻是配合得恰到好處；正因為是夢，所以才總飄在半空，又因為要探索古怪事物，所以必經些彎彎繞繞，跟着旋律蜿蜒。

至於歌詞，林家謙和作詞 Oscar 說不要再寫甚麼大道理，在唱過《下一位前度》

《一人之境》之後，已經有太多富於哲理、道理的歌曲，這次的夢可以超現實一些。於是有這麼多角色出現在特倫斯的夢遊仙境裏。魔女、天狗、雪獸、妖精，他往前行一步，就撞上更多的神奇；被稱呼為「麻瓜」，就像來到了《哈利波特》的世界。林家謙唱「用我殘破衣袖，囊括全個宇宙」，荒謬和變幻之中，聚集了太多童年或夢想裏的驚喜，不確定這個世界有多大，但是快樂溢出此時宇宙的邊界。

夢不總是安靜的。這首歌的主角像在夢裏跳舞。林家謙在採訪時提到這首歌並非是於上一張專輯之後創作的，他很早就寫好這首歌，賣給過幾個歌手，後來回到自己手裏。本來是寫給女生唱，所以 pitch 都好高，高到二十四度。但這首歌回到了自己之後，降低了八度。林家謙解釋道，如果你仔細聽歌曲主歌，這一段和整首歌相比低了八度。一段低沉，一段在高音裏夢遊，就這樣在歌曲裏刻意營造了現實和夢境的分別。

很多人覺得驚喜，也有人覺得奇怪；他們太熟悉幕前林家謙唱《一人之境》時的釋懷和灑脱，也會想念為鄧小巧寫由一條音階延伸出的佳作《重陽》的幕後林家謙；有人驚歎於他的假音，也有人糾結他的聲音到底是否合適這樣的歌曲。

他並非從不知曉，在採訪裏也調侃自己唱慢歌已經有人評頭論足，如果唱快歌，咬字更急促，聽眾會不會有更多不滿或意見。他和監製談及於此時，他的朋友說「用一種快的心態唱，越是快歌越唱得優遊自在」。

採訪裏有人問他為甚麼想要創新，他說「剛剛做完一張專輯，想完全忘記《MAJOR IN MINOR》，試試做一下其他的東西」。

所以在《特倫斯夢遊仙境》裏，他在夢裏跳了起來。在層疊的假音和充滿童趣的色彩裏，他走下了那條七百七十級階梯，於音樂之中，無數次往返他的仙境。

時光倒流一句話

作曲
林家謙

填詞
黃偉文

編曲
林家謙

監製
許創基 / 林家謙

ISSUE 2020

Written by Recole

如果有逆轉時光的超能力，你會想回到哪個時候？

在人的一生，「後悔」似乎是一種難以避免的體驗。甚至你或我多少都有點貪婪，曾在心中列過一張「後悔做過／沒做」的清單，一旦逮到機會做關於時光倒流的夢時，就想要回到過去逐一彌補。又或者想像自己如日劇《求婚大作戰》男主角岩瀨健那樣只要喊出一句「哈利路亞！Chance！」，就能回到過去，完成向女主角表白的心願。

然而有位男歌手，他的心願

則與岩瀨健剛好相反。如果有逆轉時光的超能力，他希望可以「時光倒流一句話」，把那句「我喜歡你」吞回肚子裏面，這樣便可一直守在界限外，充當好良朋的角色。

作為一名以作曲人身份入行的音樂人，在正式成為歌手之前，林家謙已從事了超過五年的幕後創作，為其他歌手寫過不少「命題作文」。而這一次，在黃偉文的「出謀劃策」之下，《時光倒流一句話》成為了他口中「第一首寫給自己的歌」。標誌性的「扭音」和急促的真假音、高低音轉換，換做其他歌手唱你也許會覺得彆扭，但在林家謙身上卻只會讓人覺得「成件事好夾」。

據 Wyman 分享，他先是將這首歌的 hookline 和概念與家謙分享，讓他以此度身訂造一套「林家謙」式的旋律，卻發現「時光倒流」這個概念與英國導演 Christopher Nolan 之前上映的作品《天能》表達的意外有點接近，於是陰差陽錯成就了他的「諾蘭三部曲」（前兩部分別為林宥嘉的《自然醒》和林欣彤的《次元壁》），也算是時空交錯之間碰撞出的浪漫驚喜。

過去，家謙曾與黃偉文合作過《壞與更壞》《余春嬌》《心之科學》《愛情是一種法國甜品》等多首佳作，這次終於第一次親自演唱 Wyman 填詞的作品，就如家謙所言，正好也藉這首歌總結了大概人人都希望能時光倒流的二〇二〇年。

與家謙過往的作品相似而又有些不同，《時光倒流一句話》的旋律中不乏他經典的轉調，卻又聽得出曲調間多了幾分個人的小情緒，細膩且私人。初聽覺得平淡如水，再聽才覺思緒漸暗湧，經過兩段間奏的醞釀後，在末段副歌「難題是時光未許倒流，明日只可向下流」出現之時忽而給予你致命一擊。

「後悔」大概是我們人生中最複雜的情緒體驗之一，在或長或短的生命歷程中，它對所有人敞開懷抱，又隨着歲月的流逝產生層層疊疊的不同滋味，五味雜陳，時而清醒地提醒你過去的已不可更改，時而又讓人忍不住幻想在別個平行時空裏的另一種可能性。人人都覺得自己並不貪心，也並非有甚麼宏願，特異功能不必「大到可扭曲真相改春秋」，就如這首歌的主人公，只想時光倒流讓他可以收回那句「我喜歡你」。他甚至幻想過假如有超能力的是對方也好，只要能將年少時那棵青苗扼殺，這份友誼便或許可永久。

但誰又能說，當初的「我」從來沒有假想過表白的後果呢。只是年少莽撞，克制不住想逞英雄的私心，抱着一絲僥倖，總是天真地期盼會有另一種大團圓結局。

《時光倒流一句話》的 MV 將故事着力在一對師生間，男同學衝動大膽地在黑板上公開表達對女老師的愛，卻讓老師被上級批評，也將師生二人間原本那單純美好的情誼親手葬送。多年後，當年的這位男同學再想起這段感情，想必終於能明白為何「你聽到的表情像很荒謬」，原來比起橫衝直撞的勇悍，克制才是能讓愛保持恆久的秘訣。

從「笨到搞不清楚你先開口」，到學懂「吞了我喜歡你不開口」，大概都必先經歷多幾個春秋，熬過無數痛苦與焦灼。但幸好，就算我們沒有超能力，能將時間逆轉到「疫症不猖獗時的秋天」，也至少可以從過去收穫「喜歡你最好不要講，安守這位置」的覺悟，將無法釋懷的悔恨，轉化為充滿柔情的人生力量。

就如 Wyman 所說，「未必所有關係，亦受得起刺激」。預設所有關係都易碎，轉而去尋找讓它更穩固的方法，或會讓它們更長久。

03 吳林峰

Wilson Ng

「人難逃從苦痛之中成長
總會偶遇上不堪設想」

下一束光

作曲
吳林峰 / Patrick Yip

填詞
Jay Lee

編曲
Nic Tsui

監製
Perry Lau

ISSUE 2019

Written by Recole

你也許早就遇到過這樣的奇蹟時刻。在某個平常的日子，你打開了某個音樂串流平台，很隨意地點開了一首首頁推薦的曲目。一開始，你聽到吉他與鋼琴編織的前奏，還覺得曲風略顯俗套，但很快，卻發現自己被當中的一句歌詞吸引住。原本並沒有抱着太大期待的你怎麼也沒想到，最近正在煩惱的問題，居然不經意間在這首歌裏找到了答案。

雖然你知道，解決了最近的煩惱之後，漫漫人生還會有很多新的問題等着你解決，永不斷絕。但一下子被這首歌照亮了的你在這一刻堅信，只要心懷信念，當以後有新的難題出現時，也總會有一束光向你照來，照亮你繼續前進的路，敦促着你別放棄。

「前進於那方，還有風還有光。」

在過去的某一段艱難的時間裏，帶領我尋找到下一束光的歌，就是吳林峰的這首《下一束光》。

歌如其名，這是一首鼓勵人勇敢向前邁步、成為下一束光的歌曲，很適合在黑暗中戴上耳機細聽。不管是編曲還是歌詞都處理得很有層次，聽着很容易讓人漸漸進入狀態。

伴隨着前半部分簡單的吉他和鋼琴伴奏，歌者先是低聲細訴，將遇到的「失望」甚至「絕望」境況娓娓道出，像是在小心翼翼地摸着黑尋找一絲光芒。到了第二段主歌，編曲開始愈見豐富，鼓點、和聲等元素的加入彷彿預示着歌者從中找到了新的希望。從「遇過希望」到「習慣失望」，終於「學會堅壯」，「放低絕望苦況」。

歌裏唱的也很像吳林峰追尋音樂道路的過程。從在街頭 busking 自彈自唱別人的歌開始，經過無數次的「重複退敗」後，他最終幸運地遇上伯樂許廷鏗的賞識，開始自己在樂壇的創作生涯。二〇一九年，他發佈個人的第一首單曲《你是萊特》，以歌手身份正式出道，為這個在眾人眼中已逐漸黯淡的香港樂壇，增添了一束光。隨後除了寫歌給自己以外，他還以幕後作曲人的身份為其他歌手寫歌，逐漸也讓更多樂迷認識了這位總是調侃自己「唔係林峯」的音樂人。

我們都總會經歷一些人生暗夜。來自學業、工作、感情、家庭、社會等種種因素的變化，讓我們時刻處在不穩定的狀態中，焦躁不安。或許只在一瞬間，極度消沉的情緒、漆黑絕望的苦況便會冷不防地給予我們沉重一擊，將我們窮追苦打。但也會有很多的「無意間」，我們會遇到那麼一束光，莫名照亮我們。

所以一定要記得那樣的時刻啊：「總有光如曙光從這天降，彩色的結晶如暖光仍綻放」。一束穿透縫隙的光打在你身上，在漆黑中守護着你。就像吳林峰的音樂一樣。

樂壇已死

作曲
吳林峰

填詞
小克

編曲
王雙駿 / 吳林峰 / 孔奕佳 / 阿權 / Jason Kui / 黃兆銘

監製
王雙駿

ISSUE 2021

Written by Clover

不知從甚麼時候開始，一篇音樂報道的後面難免有網民留言「乜水」，各大頒獎典禮結束後討論區也總會出現「香港樂壇已死」的評論。每當看到這些不關注不關心樂壇的網民對一眾音樂人一笑置之或加鹽添醋地踩低評論時，總是感到憤怒和生氣。直至二〇二一年，聽到了吳林峰推出的這首回應一眾酸民的《樂壇已死》，感動之餘亦大快人心。

「香港歌手經已死，甩嘴走音兼無氣，企在原地」、「這乜水，怎麼可唱出垃圾金句」、「所有青春嘴臉，邊個邊個都沒有星味」……網絡上就是充斥着這樣讓人洩氣的留言，令當時加入樂壇兩年時間的吳林峰也曾懷疑和不忿過。歌曲推出後當然也有人説這不過是音樂人間的「圍爐取暖」，不過同路人間的相互鼓舞相比起這些負面留言來得有力量多了。只要音樂人還在努力，只要還有年輕音樂人加入創作，香港音樂就不該被「樂壇已死」這四個字打沉。

隨着樂壇的發展，現今的流行曲早已不是「失戀、好慘、三幅被」。我們多了説人性、夢想、和平、自由、性向等各式題材的歌曲。在鍵盤敲下「樂壇已死」的人是否細味過現時的廣東歌？還是聽到新的歌曲便急着暫停，然後選回自己舒適圈裏的歌曲？每個年代都有屬於那個年代的好與不好，在妄下評論前也請不要忘記與時並進和破舊立新的重要性。

《樂壇已死》推出一段時間後，吳林峰開始抗拒再唱這首歌，原因是不想繼續消費這首歌。在一個訪問中，他表示這首歌集合了很多人所投放的心血，歌曲的意義比主唱來得更大，若然繼續把這首歌的光環歸功於自己實在不應該。難怪隨後在電視或音樂會上再聽到這首歌的時候，吳林峰的身旁總有着「樂壇已死大合唱團」一同演唱，讓這首歌變得更有力。

其實，比起爭論究竟樂壇死不死，這首歌的參與者小克、吳林峰、王雙駿、孔奕佳、黃兆銘、阿權、Jason Kui、康志維、SIN 林善麟、鍾舒祺、Tomy 何家銘、符家浚、Miri Leung @ SENZA A Cappella、Peace Lo @ SENZA A Cappella、King Lam @ SENZA A Cappella、謝芊彤@雷同二友、謝芊蕾@雷同二友、柳應廷 Jer、Frankie Hung 更加希望為有夢想和熱愛着音樂的大家帶來力量。不要放棄！面對那些打擊年輕人信心的流言蜚語，就大大聲回應他們：

「香港歌手不會死，怎麼尖酸的你，那樣看不起。漠視、挖苦、比較、恥笑、指責，拋棄這一代，我請你不必再比。」

樂壇未死，也不會死。因為還有一眾繼續創作演唱廣東歌的台前幕後，以及一群熱愛廣東歌的樂迷們。

陳卓賢

04

「開始 開始有心跳
開始世間煩擾 忘了 好風景不少」

鯨落

作曲
陳卓賢

填詞
陳卓賢

編曲
王雙駿

監製
王雙駿

ISSUE 2020

Written by Recole

在陳卓賢 Ian 的 solo 作品中，我尤其偏愛這首《鯨落》。旋律優美而又滲出淡淡憂傷，與他本身沉鬱優雅的氣質很搭。

作為 Ian 獨自包辦詞曲的第一首作品，《鯨落》就像是他的一則沉默愛語，初次向樂迷展現了他陽光背後的另一面向。自這首歌之後，Ian 在後來的每一首個人 solo 中都參與到了作曲的部分，在組男團之餘，一直不忘兢兢業業地實踐着自己成為一名唱作歌手的理想。

本是排球運動員的 Ian，

二〇一八年參加 ViuTV 選秀節目《全民造星 Ⅱ》奪得亞軍後成為男子組合 MIRROR 成員之一，翌年以個人歌手的身份，推出首支派台歌《二期大樓》，也是十二子中最早擁有自己個人單曲的兩位成員之一。儘管擁有旁人眼中的閃耀成績，向來謙遜低調的他也並沒有因此「飄飄然」，而是通過不斷地解鎖新技能與曲風，向樂迷證明他還有很多潛能未被發掘。

在一次《鯨落》的新歌專訪中，Ian 曾非常雀躍地提到，如果將來有機會出個人唱片，他希望能以動物或自然界的現象包裝成不同的主題，相信啟發他的重要靈感來源就是這首歌。

一次偶然的機會，Ian 在網上讀到一篇關於「鯨落」的文章，被鯨魚犧牲自己成全他人的精神所感動，於是以此為主題創作了這首歌，也促成了 Ian 與自我的一場對話。

由於大部分體型巨大的鯨魚身體平均密度要遠高於海水，死後屍體會慢慢沉到海底，化做養分，滋養其他海底生物。生物學家賦予這個過程一個充滿詩意的名字——

鯨落（Whale Fall）。「巨鯨落，萬物生」，就好像我們為愛付出的每個人，甘願犧牲自己，只為成全他人。而在 Ian 筆下，這個過程也被描繪得溫柔悲壯又充滿力量，一句「讓我水作棺殮，化身甜點」淒美壯烈，又像是絕望中的新生。

Ian 確實就是很適合這樣的題材，他長相和聲音裏低調溫柔和脆弱敏感的氣質，不爭不搶如海洋裏的的鯨魚，平靜又溫順。緩慢的節奏、安靜的鋼琴與弦樂編曲襯出他的內斂和憂鬱。但自認頗好勝的他卻又並沒有完全讓自己淪陷在盲目的犧牲中，於是在第二段主歌中，Ian 在歌詞中增加了海洋與天際、鯨魚和鳥的對比描寫，讓歌曲多了幾分無奈與不甘的衝突情緒。鯨撥魚鰭的動作如同鳥的拍翼，為何一個往高處飛，另一個卻只能往深海送？在讚頌犧牲的同時，歌詞裏這樣一些更為「人性化」的矛盾表達，也將「鯨落」這個過程描繪得更有血有肉。

感謝 Ian 將這個孤獨而宏大的深海故事寫得這麼美，讓這個世界上最溫柔悲壯的重生，又再多了一份紀念。

留一天與你喘息

作曲
陳卓賢
填詞
Oscar
編曲
Claudia Koh
監製
T-Ma

ISSUE 2022

Written by man 仔

有一些歌，我們會因為 MV 就記住甚至喜愛上它。在我眼中，陳卓賢的《留一天與你喘息》就是這樣一首作品。

由 Ian 自己譜曲、Oscar 填詞的這首《留一天與你喘息》，一經派台後便收穫不錯的成績，更成為 Ian 首首曲三台冠軍歌。從歌名設計到歌詞填寫，都在向聽眾明確表示這是一首「治癒式情歌」。在近年動盪不安的社會環境下，逃離荒誕生活，拋開一切煩惱，喘息片刻，是無數現代城市人的願望，也是不少廣東歌嘗試傳遞的生活態度。

無論從旋律、歌詞還是歌手的演繹這幾個維度去聽，作品本身都十分討人歡心，相信無論是否 Ian 的粉絲，第一感覺都會是「好聽喎」。但為了讓作品治癒性更強，及能在聽眾心裏留下更持久的烙印，製作團隊在這首歌的 MV 構想和拍攝上也花了許多心思。

由 Ian 本人和袁澧林主演的兩位主角，不只是一對普通情侶，在 MV 中二人有着一樣的遭遇，就是被貼上了「精神病患者」的異類標籤，但幸好在精神病院裏，兩人一直互相陪伴彼此信任，甚至鼓起勇氣結伴逃離，最終重見天日重獲自由。把這樣一個「極端案例」拍成一支音樂短片，既能把歌曲的主旨昇華到另一個層次，也十分符合陳卓賢對歌曲的最初設想：「兩個人相處，不需要做任何事情，知道對方存在在自己世界裏，已經很安心」。

因此在歌曲裏，從頭到尾都沒將「喘息」具象化，「留一天與你喘息」會去做些甚麼，也並非我們需要關注的重點。兩個彼此愛護、信任的人，從來都不需要依賴節目內容來解除苦悶，更不會懼怕時日和環境的變遷，「一起躺進暖光，盪進思海」，簡單地看看日落和星空，甚至不需要言語對話，只需偶爾對望一下，心聲便可以得到釋放。

外界紛擾不斷、變幻莫測，成長的路上會愈發覺得，很多正在發生的事情我們都無法理解，這個時候我們可能會成了別人眼中的異類，但異類不代表沒有同伴，家人、愛侶、摯友一直都在身旁與我們呼應，試圖「讓劇震暫停」。也正是他們的存在讓我們明白到，不是所有世間事都非要弄個明白，在情緒糾結、崩潰的日子裏，不如留出一天空隙，與至親至愛一起，慢慢喘息，好好感受。

「曾是獨個苦惱徬徨，卻是你，行入深鎖的這個房」。這首歌除了是 Ian 送給家人和粉絲的答謝禮，亦是賜予所有正經歷類似痛苦的人的一份力量。

05 姜濤

「So I say I love you
只有愛恆久不枯」

Dear My Friend,

作曲
林奕匡

填詞
林若寧

編曲
Y.Siu@emp

監製
Edward Chan

ISSUE 2021

Written by Lesley

不是更為通順和常見的「My Dear Friend」，這首歌的歌名由Dear開始，加上稱呼或姓名，然後逗號再空行，成為標準信件格式的開頭。第一眼看到姜濤《Dear My Friend,》時以為自己晃眼才看見逗號，聽歌時才明瞭這首歌就是寫給一位朋友的信，在這首歌中記錄着歌手和朋友相識相處的點滴。姜濤通過文字和旋律紀念着猝然離世的好友，以這一封寫好署名和稱呼的不一般的信，「懷念這位曾陪伴我多年，情同手足的兄弟」。

歌曲介紹中放出了姜濤寫給

作詞林若寧的文字。信中講述姜濤與好友「中鋒」相遇，相互扶持度過了從青春到成熟的那段時光，然後被迫分別的故事。姜濤和這位花名為「中鋒」的好友在彼此最平凡的時候於球場上相識，之後的日子一起打球、一起減肥，甚至一起外出旅行。而當姜濤捧起新人獎盃後，二人的友誼也沒有因為名利的不平衡而變質，在信中，姜濤寫道：「『中鋒』也一如往常，在我身後默默給我支持、鼓勵」。

這一段故事和再也沒辦法表白的心情被林若寧寫在歌裏，變成歌者獨自一人收不到回音的自我傾訴。二〇二二年第一天，這首歌於「二〇二一叱咤樂壇流行音樂榜頒獎典禮」榮獲「我最喜愛的歌曲大獎」，登台演唱這首歌時，姜濤對着天空再次向好友表白。《Dear My Friend,》不僅僅通過懷念過去的快樂時光來寄託姜濤的思念，林若寧更是在歌詞裏想像着缺少對方的未來會變成如何如何，那些有「你」的想像最終落空，那些不得已將「你」排除在外的安排不過是留在世間的人單打獨鬥。

應該要接受「已經分開走」的時候，還是習慣往對方的對話框發送再也無法已讀的信息。之後打球的老友少了一位，旅行的夥伴少了一位，一起唱生日歌的人少了一位。而之後單打獨鬥的日子，又會變成甚麼樣？想這句話的時候，不禁先想到如果當初彼此沒有在球場碰面，今天會否慶幸自己得以躲過一次喪友之痛，還是更多會在一個人的寂寥深夜，希望能夠同某個好友一起走過人生一段路？

也許沒有人再和自己作伴，打球時少一個人，減肥時少一個人。或許有新的人，或許一幫老友裏陰差陽錯兩個人不相識也不會如何，但或許就是他，才是烏托邦大門的鑰匙。

有人一起快樂，有人一起瘋，有人陪着做夢，所以才有了現在的自己。而今後的路，要從過去搜刮安慰和鼓勵，反覆回憶和咀嚼，像重新餵了一劑新的燃料，繼續摸索着向前。

不知道對方會不會在看，不知道童話裏說人會變成星星是不是真的。只是天黑的時候，或者世界暗了的時候，希望抬頭就是星光，以另外一種方式，彼此再一起走未完成的路，然後總會再見，再回到舊時初見時的烏托邦。

作品的說話

作曲
Gareth. T

填詞
小克

編曲
Gareth. T

監製
Edward Chan / Gareth. T

ISSUE 2022

Written by Clover

從第一胎《一號種籽》的青澀，第四胎《蒙着嘴説愛你》用力發放的正能量，第五胎《孤獨病》展露自己的內心世界，第七胎《Master Class》誓要擺脱枷鎖做自己的態度，第八胎《Dear My Friend,》唱給摯友的思念，第九胎《鏡中鏡》的自我尋找及內省，到第十胎《作品的説話》向世界呼喊愛與和平，三年多的音樂路上姜濤一直在求變，不斷地進步。

在二十三歲生日當天，時常將「用作品説話」掛在嘴邊的姜濤發佈了自己第十首單曲。只看歌名會以為是一首很個人的歌，其實不然，這次姜濤透過作品和世界作連結，訴說一個不分種族階級，屬於每個人的故事。《作品的說話》是一首宏大而富有國際視野的歌，這是一首唱出普世價值觀的歌——「落力畫滿，合力地說，但願沒有，世界大戰」。

在這首歌中出現了五件與戰爭相關的歷史作品：黑白的照片、反戰名曲、戰爭日記、塗鴉與和平標誌，將戰爭的瘡痍及對後世的影響呈現出來，反覆地問我們「可記得」。在衣食無憂生活便利的環境裏成長，可記得前人作出了何等的犧牲？此刻能活在和平的國度，可記得不遠處戰火還在瀰漫着？任由一個個體能活得多抽離，可記得大家都活在同一個地球上？

歌曲結合由姜濤親自執導的MV，不論在歌詞還是畫面上我們都置身於充滿刀、槍、子彈、烽煙、傷兵的頹垣敗瓦裏，神奇的是，這首作品卻那麼有力地傳遞出滿滿的善、愛與希望。在槍林彈雨面前，這首會說話的作品雖沒有魔法讓世界不再出現戰爭，卻帶着「只希望，默默地提示人類善良」的使命，真摯地期盼着。

除了善良的立意外，輕柔的旋律配以簡單的吉他勾弦凸顯人聲，讓聽眾在音符和説話中遊走。結合填詞人小克在該作品中大膽任性的試驗——「從Verse的散亂及完全不押韻，到Pre-Chorus局部押韻，再到副歌的完全工整押韻」，讓這首歌曲在視聽層面，樂理歌詞層面及背後的創作意圖層面都值得一再細味。

作品的尾段誕生了一位戰地孤嬰，伴隨他「天真的笑，天真的哭聲」，用生命影響生命再次祈求：為了人類的下一代，不要再有戰爭了，好嗎？

用作品代替漂亮話術的同時，亦賦予作品生命讓他們各自去説話，這就是姜濤。

柳應廷 06

「為何 多麼艱苦 都要 全力以赴
未被好運眷顧 勇氣在髮膚」

人類群星閃耀時

作曲
Supper Moment

填詞
小克

編曲
王雙駿 / Supper Moment

監製
王雙駿

ISSUE 2021

Written by Recole

繼姜濤與 Ian 陳卓賢後，與 AK 江燁生、Anson Lo 盧瀚霆在同一天推出個人作品的 Jer 柳應廷，應該稱得上是 MIRROR 當中的絕對黑馬之一。

本是一名娛樂記者的他，在二〇一八年辭去工作參加 ViuTV 選秀節目《全民造星 I》，原先於首回合五十強賽便被淘汰，但幸運的他得到了節目監製花姐欣賞並爭取到五個復活名額之一，又回歸到比賽，最終走到了二十強。雖然並未晉身決賽，花姐依然邀請他加入 MIRROR 成為隊中主唱之一，他也成為了 MIRROR solo 成員中唯一一位獲得過「叱咤樂壇生力軍金獎」的成員。

作為樂壇新人，Jer 並沒有選擇唱大路情歌這條「更好走的路」，而是堅持破格與創新，試圖透過一些「非主流」的作品，展示廣東歌另一種不同的面貌。出道的兩年間，Jer 便協同監製王雙駿、填詞人小克，大膽嘗試廣東歌中罕見的曲風與題材，分別以「物語」和「重生」為概念，先後推出了「物語三部曲」及「重生三部曲」，每一首都能讓人聽出驚喜。

這一首《人類群星閃耀時》是「重生」系列的最後一部曲，與同系列的《狂人日記》《砂之器》一樣，歌名靈感都來源於文學著作。從魯迅的《狂人日記》、松本清張的《砂之器》到茨威格的《人類群星閃耀時》，小克在為這幾個概念賦予新的意義之餘，也帶領着 Jer 和我們這一群聽眾，一步步探尋關於生命、關於愛的真理。

特別的是，這首歌曲的旋律由 Jer 的偶像 Supper Moment 為其譜寫，旋律大氣宏偉，很適合作為「重生」系列的結尾，寓意着人類群星的新生。而歌曲發佈的日子也正巧遇上香港的「打風日」，因此小克也將其形容為「於天昏地暗當中，送給你全世界最光的一首歌」，希望這首「廣闊浩瀚」的歌能幻化作光線，「隨處閃耀」。

為了讓歌詞以及編曲上都能與之前的作品有聯繫，王雙駿也特意在歌曲的結尾部分放入「物語」及「重生」系列前五首作品的元素，並將其形容為「百鳥歸巢」，就像是前世今生的片段在閃回，最後再回到當下這一刻，重新出發。

《人類群星閃耀時》是奧地利作家史蒂芬・茨威格的一部傳記名作，原著講述了歷史上十四個真實人物的故事，作者茨威格截取了他們生命中的某一個關鍵瞬間，這個瞬間可能是一天、一小時，甚至只有一分鐘，但卻就此讓自己的人生，甚至其後幾百代人的生活都變得不可逆轉。這些瞬間，就是作者所定義的「人類群星閃耀時」。

這次小克以這本著作為概念，借人類群星閃耀的這一刻為 Jer 的「物語」和「重生」系列收尾，就像是預示着「狂人」終於來到了覺醒這一刻——望通「樂與苦，源自創造」，人生中的許多謎題困惑，置於茫茫天地間，都不過是可有可無。就像是剎那間的頓悟或靈光一閃，經歷過多番的掙扎與尋覓，終學會與滿身包袱的自己和解——曾狂妄過、仇恨過、痛心過，卻發現在寬廣的銀河面前，繁星多不勝數，而自己則渺小得像「甚麼都沒有」，於是才更懂得好好專注於每一個細微的眼前，感激珍惜遇見的每個同伴，勇敢地表達「愛」。

即使蜉蝣於星河間，如滄海之一粟，請仍堅信「繁星怎麼要發光，自有分曉」吧！天地間總有着無數黑暗的角落，等待每一刻凡星去照耀。

離別的規矩

作曲
吳林峰

填詞
小克

編曲
王雙駿

監製
王雙駿

ISSUE 2022

Written by Zero

離別能否有一些規矩？比如，不要聲張，比如，不要悲傷，比如，將行李默默提走，不用道別，但有許多體面可以留下。

在分開之時，也許在其中一人不太成熟的那陣時，另一人，仍會寄望美好祝福。

這首歌仍然由「物語」和「重生」系列的王雙駿 Carl 叔叔和小克打造，吳林峰作曲。此番聯手再為 Jer 柳應廷創作，詞曲編監一如既往地帶給了聽眾不少驚喜。小克在這首歌中展現了非常「克」味的，帶有些許中國古典風格韻味的填詞，搭配上編曲中的竹笛，如窗外有雨，淅淅瀝瀝地落在耳朵裏。俯身拾撿剪影，影子如潑墨流淌於地面，想要擁抱，最後卻隨曙光熄滅，兩人的關係也就這樣消逝，這樣含蓄又朦朧美麗的畫面，將兩人最後已虛幻的關係表達得生動，笛聲起後，山水之喻更是淡雅而優美。

暗色調的 MV 中，Jer 與女主角之間的互動也是如此暗色調的，在中式布景之下，玲瓏蝸居內，兩人最終分手，而最後一個鏡頭中，向日葵也應聲枯萎而去。

在這樣含蓄的象徵意象中，歌詞以蘊含着佛理禪意的方式，將「一別兩寬」的離別形式緩緩道來，而經過 Jer 這樣一把年輕的聲音來表達，仿佛還帶有一些撕裂過去的掙扎，但到最後終歸風平浪靜——「有些人，在離開後仍會留下祝福」。實際上，我也很期待能有一些已到中年的前輩歌手能翻唱一下這首歌，因它並不是一首僅僅寫少年心境的歌，而是有一定的跨度，有一份「攀過遠山」之後的回首與淡然。

少年人在離開的時候，以為自己是先走的人，然而回首時，也許會發現，另一人才是真正意義上的離開了。當獨自「離開這玲瓏蝸居」，遺憾留下之時，也許兩人的離去會有先後順序，當其中一人緩緩離去時，另一人即使呆在原地，不多時也要走。「決定放手，是離別的規矩」，似是一種禮貌的回敬，在寫意的描繪中，將離別隱晦的詩意道出。

人與人相處，尤其是兩個極度親密的人相處時的關係處理，總有許多幽微之處，稍有不慎，就落得一個互相厭惡的下場。所謂「離別的規矩」，也許意在此處，在相互的試探中，在最後的補救後，當「曙光消退」後，想不要將場面弄得太難看，便淡淡放下那雙手為好。

這一切，除了給對方的善意與寬容，也求一份自己內心的安寧，「山也似山，水仍是水」，在時光如急流湍急而過後，重新回到當時之事面前，也許只留下默默無言，啞然一笑。

盧瀚霆 07

「乒鈴嘭呤 一齊妄想」

Megahit

作曲
Hanif Hitmanic Sabzevari / Måns Ek / Erik Sahlén / Jeremy G / Daniel Kim

填詞
黃偉文

編曲
Måns Ek

監製
Edward Chan

ISSUE 2021

Written by Zero

「Megahit」，意為「大熱歌曲」，本以為這又是一首打着熱歌歌名的情歌，沒想到居然真的是一首快歌。但是想想這是來自 MIRROR 成員 Anson Lo 的歌曲，於是也就不奇怪了，反而覺得相當合適。

其實快歌的歌詞是很容易寫得言之無物又沒有趣味的，為了附和曲調，甚麼花招辭令都用上，也是常有的事，因觀眾多會關注強勁節奏與舞台上的帥氣舞蹈，而忽略歌詞內容。而黃偉文對於修辭的靈活運用與大膽想像則為這首快歌填上了更多言之有物的內容，讓這情緒高昂的「Megahit」，多了一些通透之處。

這首歌也在「二〇二二叱咤樂壇流行音樂榜頒獎典禮」中獲得專業推介叱咤十大第九位，讓這首歌從各種意義上，都成為了一首「Megahit」。

K-pop曲風，搭配盧瀚霆的唱跳，造就了一首韓系偶像風味非常濃厚的舞台系歌曲。實際上，這樣的內容，對於廣東歌來說也是一種新鮮血液的補充吧。想不留戀以前的金曲芭樂時代，到底還是需要更多不同的風格來對撞。說到這裏，不得不感歎一句上一代填詞人的功力，真的是甚麼曲風都能填得上，而且有意思、有內容——以「人與人之間的溝通碰撞」為主題，寫出相處時的大膽衝突，爽朗快意。

然而這首歌的重點到底還是不在詞曲，而是在於歌手魅力的展示，對於舞台表現的推動，這樣看來，這首歌說優秀也不為過。

香港現在湧現出許多偶像，所謂「流量」，大家很多時候也許都視其為洪水猛獸。但在廣東歌總被唱衰成「青黃不接」的這個時節，我想，有這些偶像出現，為廣東歌的池子裏加一些其他的東西，促進一下化學反應，實在不是甚麼壞事。偶像們也不過是年輕人，私下裏雖然仍要努力苦練提高技藝，但能獲得如此號召力，人格魅力想必也少不了。

偶像也許也類似這樣的Megahit吧。作為「Megahit」，總少不免要經歷更多的風波和爭議，一個人如果有越多的位置，越是難以立住自己，那麼，反而要敢於與人碰撞，即使「爆破」，也要正面對抗。

呂爵安 08

Edan Lui

「連環無盡錯戀　教我學會心寬」

E先生 連環不幸事件

作曲
呂爵安 / Cousin Fung / 溫翰文

填詞
黃偉文

編曲
Cousin Fung@emp / 溫翰文 @emp / Anson Chan@emp

監製
Edward Chan / Cousin Fung@emp / 溫翰文 @emp

ISSUE 2021

Written by Lesley

在《E先生 連環不幸事件》發行之前，Wyman曾在IG post了關於「事倍功半」和「事半功倍」的帖文，揭露了Edan呂爵安的第一首個人作品的幕後故事。

於二〇一八年參加ViuTV舉辦的《全民造星二》並在該選秀節目中獲得第八名之後，Edan和其他十一名參賽者在比賽結束翌月宣佈成團，正式作為香港男子音樂組合MIRROR的一員出道。二〇二一年初，他推出自己的個人單曲——《E先生 連環不幸事件》，又是一首將歌手的名字寫進歌名的作品，這首歌派台後取得佳績，並成為三台冠軍歌，之後很多人記住了Edan的第一首個人作品，也記住了這位「E先生」。

歌名前半部分取自歌手的英文名Edan，後半部分則像極推理動漫某一集的標題。在Chill Club的訪談中Edan提到這個歌名實際上來源於自己在綜藝節目的遊戲裏不停輸，並因此有了「黑仔」這個昵稱的經歷，而Wyman就據此寫下了《E先生 連環不幸事件》。看到歌名的時候還在疑惑究竟是甚麼樣的懸疑事件，不過Wyman沒有在這一方面留下太多懸念。歌詞第一句「連環錯愛，有誰夠我不幸」便揭示其苦情歌的主題，於是聽眾明瞭這又是一位情路坎坷的主角。

以「連環不幸事件」來形容情路不順確實值得玩味。遇見第一位錯愛無果，遇見第二位猶豫放棄，錯過無數人之後，又遇見一位讓自己「無法太安分」，可惜從前「連環不幸事件」歷歷在目，教訓深刻而慘痛，不奢求從此遇到良人心心相印便可成就終生，但求盡人事聽天命，陪這位走過盡量遠的路。

雖說「但求是，沒遺憾」，但又怎麼可能全無奢望。由頭至尾都只想找一個人共度餘生，但每一次拖手一個人，都「無緣出眾地奪冠」，最終只能淪為不幸事件的主角。

如果全心對待一個人就可以事半功倍就再好不過，可惜現實總背道而馳，又分明越來越意識到夢想已經不可實現，但偏偏甚麼都捉不住。

總有人能「如獲至寶，千金也不換」，但作為連環不幸事件的主角，甚至無法打起力氣羨慕一生好運的選手。世界上總有人看起來樣樣美滿，而自己也只能睜眼見證這些人的好運連連。心知人生總不圓滿，無論如何都只能盡力接受釋懷。

連環不幸之中，能夠越挫越勇才是反常。分不清到了最後究竟是「只想找一個伴」，還是悲觀淪落至在漫長數萬分秒之間「求別讓我，遺憾大滿貫」。若潮流流轉，時興的都走過一圈，最終回到自己腳下，到了八十歲能拖住一個人的手也未嘗不算幸運。

如此看來也並非糟糕至無可轉圜，非到最後一刻，又有誰能知道這部長篇動漫是延續還是反轉？ 或許真的只是錯戀太多人，才會令那一班遇上真愛的飛機不得已延誤。又或許是提前到了機場，安檢太快，一路暢通無阻，可這時的機場毫無那班飛機的告示和通知，便只可以在無數登機口打轉和尋找。

只好選擇等待，由「今年錯了大半」到期待「明年或者圓滿」，總會等到這套動漫的定局，總會等到某一天也許真的可以圓滿又心安。

一表人才

作曲
林奕匡

填詞
黃偉文

編曲
黃兆銘

監製
Edward Chan / 黃兆銘 / 張暐弘 Hoong

ISSUE 2021

Written by Recole

人人看見他，都稱讚他長得一表人才。

這一刻他又穿得身光頸靚地走在中環街頭，頭髮打理得乾淨整齊，衣服熨燙得平整如新，看起來並無異樣。

但誰也不知道他昨天晚上才剛熬過「重傷」的一夜。說起來，這其實已經不知道是他今年遭遇的第幾宗「連環不幸」事件了。

他本有足夠的理由和藉口放任自己傷心頹廢，但活了這麼多年，他卻一直莫名偏執地堅持着

error recovery 這件事——信奉如果不好的事情發生時不積極地去面對，就會讓事情變得更糟糕。因此不管發生甚麼天大的事，他都從不輕易遲到或早退，在裝扮自己這方面更從不懈怠，努力在人前保持住一表人才的形象。

況且進入社會工作這麼多年，他也早已深諳「別在人前隨便展覽虛弱」的道理，誰的生活不是一地雞毛？人們總是只看到其他人生活中百分之一的側影，卻從不曾瞭解那些光鮮亮麗的背後，其實也有很多的狼狽不堪，願意拿出來與別人分享的，通常都是好的一面。說起訴苦這件事，誰都有一肚子苦水想要倒。只不過想開口卻又不知該從哪裏開始，於是乾脆絕口不提。

雖然過得不是很好，但總歸還是要努力活着呀。頹喪流眼淚的事，即便半分鐘都嫌多。迅速讓自己恢復心情、進入戰鬥狀態才是正經事。越早爬起來，就代表距離下一次的復活越近，想到此，又怎麼忍心讓自己再浪費更多時間？

他當然也明白，即使這次跌倒了爬起，也並不代表不幸不會再次降臨，人生總是艱難，但至少挫折能讓自己愈發強壯，儲備好能量，就能隨時再絕地反擊。

雖然「今年錯了大半」，但「明年或者圓滿」呢？將Edan的出道作《E先生 連環不幸事件》與這首《一表人才》一起聽，再結合近年來黃偉文寫給他人的幾首作品，就會發現好像不論時間如何更替，Wyman一直都是這樣勇敢堅決、強壯無畏。他並不是不允許自己脆弱，而是在坦白承認自己的挫折與難處後，再化身一位理想化的勇者，鼓勵人向前衝。

而在二〇二一年參與了「E先生全包宴」的Wyman，將這種精神貫穿進了為Edan寫的四首作品當中，也借此鼓勵了近幾年也許都過得不太易的我們這一群樂迷，鼓勵我們要相信過去沒有成就的事不過是「棋差一着」，寧可受點苦，也請切記保持信心，迎接未來新的誓約。

特別的是，這首《一表人才》還是一首男子合唱歌，Edan與新加坡音樂才子邱鋒澤首度進行隔空合作，推出國粵雙語兩個版本，用同一套旋律講同一個故事中兩種不同的心理活動。國語版《年青有為》的歌詞同樣由Wyman操刀，不管是廣東話還是國語，Wyman想必是希望借這兩首歌鼓勵我們，要相信一表人才、年青有為的自己定有足夠的能力，隨時能「又變強壯，再捲土重來」。

曾比特

09

Mike Tsang

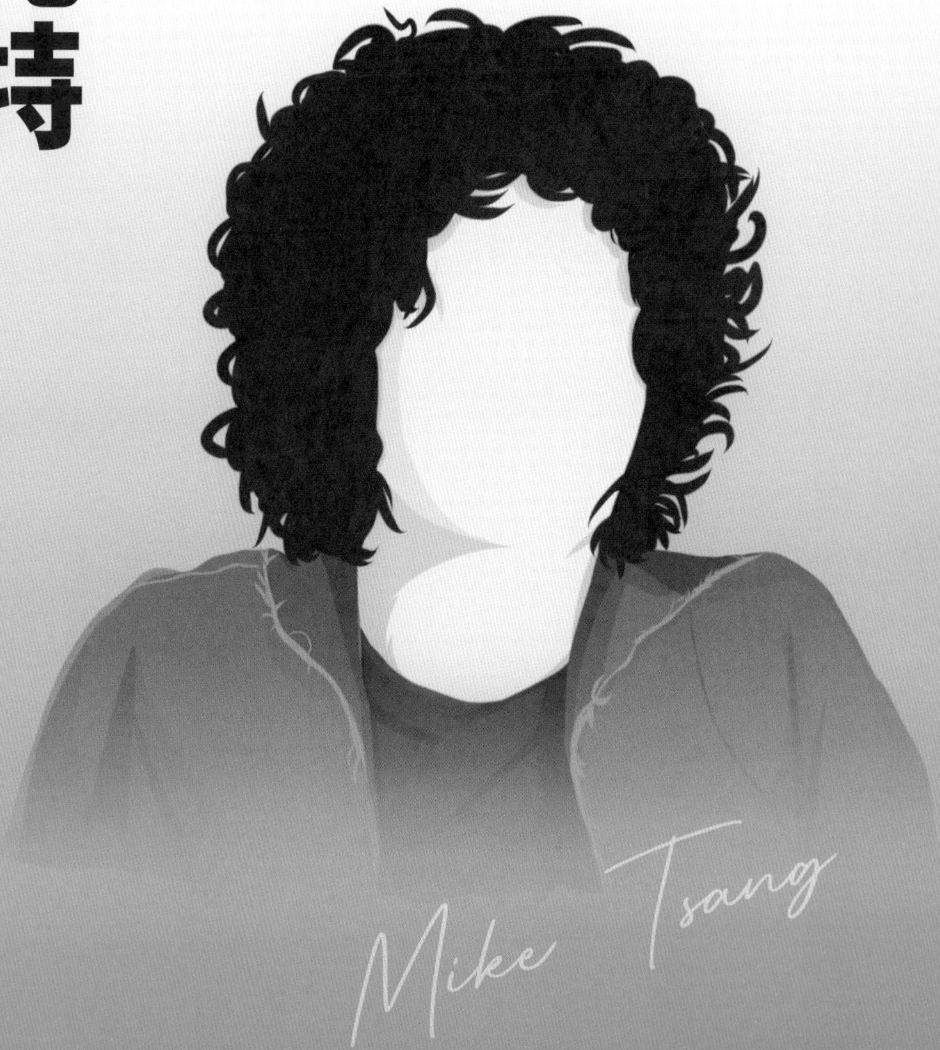

「我不如一個人
怎樣能大方見人」

我不如

作曲
Eric Kwok

填詞
林若寧

編曲
張子堅

監製
Eric Kwok

ISSUE 2021

Written by Jeekit

在二〇二一年的新年伊始，一把蘊藏着無限可能的新聲音傳到了我們的耳朵裏，這把聲音來自Mike曾比特。

Mike曾比特是《全民造星三》的參賽者，並於比賽中獲得第八名。在這個比賽前，他已經參加過大大小小的歌唱比賽，甚至在半年裏曾獲得超過二十個比賽的冠軍。憑藉這樣的實力，他被《全民造星三》導師Eric Kwok看中並引薦入環球成為二〇二一年的新人。

很多人初識Mike，都是因為

他這首將自己唱得「卑微像一片塵」的《我不如》。作為 Mike 的恩師，Eric Kwok 不僅包辦了這首歌的作曲和監製，還擔任 MV 聯合導演，編曲方面由與他合作無間的張子堅負責，歌詞方面則由當時剛獲得叱咤填詞人大獎的林若寧填寫。這樣的班底後來也幾乎包辦了 Mike 首張同名大碟中的所有原創作品。

被評價為「每一粒音都慘情得很」的《我不如》述說了一個無人喜歡、關心、憐憫的慘小子心聲。「我不如過街老鼠，人人亦是個判官審判我壞處」、「我不如野生箭豬，時常亦令你刺傷醜化美麗公主」，歌詞將「我」描述得無地自容，盡顯主人公骨子裏的自卑和孤獨。

自卑也許就是一個死循環，明明有人願意靠近，他卻認為自己不夠資格而把對方推開。「你不如快趕我走」、「你不如養一隻狗」，他已經把自卑化作了行動，去把一切機會封殺掉。明明那麼地渴望愛卻又覺得自己不配有愛，這不就是那種既期待又怕受傷害的心態嗎？不是不勇敢，但比起擁有這一份沉甸甸的愛，更怕的是失去。這樣的話，倒不如從來都沒有過好了。

「我不如一個人，我卑微像一片塵，污染人，毀了人，糟蹋人，只惹人痛恨。」

一直困在自我否定中，卻又不做出任何改變，男主角就像一隻住在帶電鐵籠的小狗，因為電痛了、電怕了，它不敢再作出任何反抗和逃走的行動，即使這個鐵籠早已不再有電去攻擊它了。

「不如」是一個巧妙雙關的粵語詞彙。可以理解成主人公認為自己比不上另一個人，也可以視作是主人公那種認為與其耽誤對方不如獨自一人過活的「破罐破摔」態度。但無論哪一種理解，都無法阻止男主角把自己的心封閉起來，絕不讓人走進去的決心，也印證了那句「可憐之人必有可恨之處」的道理。

不知道監製和填詞人是不是從最開始就有意地為 Mike 策劃了關於「我」的情歌三部曲，但如今再順着歌曲的推出順序將《我不如》《我不是邱比特》《我以為》這三首歌放在一起聽，就像是一路見證着歌中的這位「慘小子」是如何從只會一味地妄自菲薄，到逐漸認清事情的本質，最終努力學習做一個真正懂得愛別人的人。

在這裏也想順道誇誇 Mike 的演唱能力。Mike 在保持唱功的基礎上會讓聲音有一定的撕裂感，他的演唱方式讓歌曲的本意更直白、更淺顯地讓聽眾產生共鳴。聽着 Mike 的歌讓我想起了二〇〇七年出道的小肥，音色很厚實磁性，唱功也很扎實。Mike 不僅擁有渾厚的聲線，仔細聽時會發現他歌唱時會有自己一種獨特的 Funk 律動感。可惜就他目前推出的作品來説，沒有留意他在其他平台上的一些翻唱作品的聽眾，對他很容易會形成「慘情歌王子」的固定印象。在參與音樂綜藝節目《聲生不息》過後，他也急需一些更能展現他多面風格的原創作品，打破本地樂迷對他的刻板印象。期待他在日後的作品中可以嘗試更多不同的風格，向我們展示更加「特別」的曾比特吧。

我不是邱比特

作曲
Eric Kwok

填詞
林若寧

編曲
張子堅 / Eric Kwok

監製
Eric Kwok

ISSUE 2021

Written by Zero

作為曾比特的第二首主打，《我不是邱比特》為其第一首主打《我不如》的前傳故事，兩首歌皆為林若寧填詞，Eric Kwok作曲，這樣漂亮的班底配置，不難看出公司寄予的厚望。

林若寧 × 曾比特這樣的組合，實際上也看得出來時代的更迭之味——廣東歌也走到了新的次世代。不過，曾比特確實是青澀的，不論是聲音、經驗，或是感情表達，都有一股生澀的少年氣，也許是因為他聲線纖細的原因。

但聽過他的 live 後，會驚喜地發現 live 版本是擁有許多錄音室無法呈現的情感細節的，而這少些修飾反而適合他的表達。

《我不是邱比特》這首歌，雖然有「邱比特」、「曾比特」這樣幽默的特意撞名安排，其內核卻依然是苦情歌。「凡人」與「愛神」之間，終是差了距離，凡人只可以等「神蹟」，卻無人告知，這「神蹟」，到底何時才能來到，如何努力灌溉，才能得到我的所愛？

歌詞中一直在自語「神做了我，也應有個與我匹配的人來愛我」，實際上仍是人對於被理解、被關心、被愛的渴望，有時候這種渴望並非單指向「愛情」，而是一種希望被「愛」的本能。

聽這首歌，總讓我想起《葡萄成熟時》，兩首歌都是關於「時機」，都是關於「旁人的愛已開花結果，而我卻依然在等」，最終都回到積極中來。但一首是對於他人的勸說，一首是對於自己的歸省。在修辭這一塊，林若寧確實沒有黃偉文運用得自如漂亮，但仍有一些自己的特色與清新味道。

將任何事情歸咎於神、寄望於神，本來只是一種心理寄託，不應太過認真；但，能在愛裏跌跌撞撞的瞬間，能對未來持續地保持希望，保持熱情，持續的失敗後，持續地抽取彩券——這樣或許更為來之不易。《我不是邱比特》，在一番苦惱後，也坦然地接受，繼續向前——在還未對愛失望的時候，總是有無限熱情，無限愛意。

雖然也許我們都不是邱比特，無法祈求到愛神眷顧，但在等待的時分，在即使得不到神明憐愛的那些日子，仍然互相愛護，就已經足夠。

張天賦 10

「外間很多反對我愛你的聲音
任他怎講只要與你持續熱吻　」

反對無效

作曲
馮允謙 / Cameron Browne

填詞
陳詠謙

編曲
波多野裕介

監製
舒文 @Zoo Music

ISSUE 2021

Written by Zero

MC 張天賦的《反對無效》可以說是如今香港樂壇新世代 R&B 的代表作品之一，他本人也可以說是二〇二一年當之無愧的新人王。從這首歌我們可以看出，不論是唱功還是律動，他都可非常自如地把握。

張天賦二〇一九年參加《全民造星三》後大熱並奪得比賽亞軍，但他沒有接受 ViuTV 的邀約組男團，反而選擇自組工作室發展。一年後他才經洪嘉豪介紹簽約華納唱片，正式出道成為 solo 歌手。也許這一步棋對於當時初入樂壇的他來說，並不是一條最穩妥的通途坦道，但是如果從如今的結果回看，卻好像一塊煉金石，讓他磨礪出了一些屬於自己的光彩與味道。

《反對無效》是他的第二首單曲，由馮允謙、Cameron Browne 作曲，陳詠謙填詞。聽到這首歌，我突然覺得陳詠謙找到了適合他的填詞賽道，這種 R&B 所呈現的鬆弛、都市的韻律，讓他的詞突然多了許多生命力。

《反對無效》一經推出，便進入不同音樂榜單的前五位置，在 YouTube 上線十天便突破一百萬點擊，並被許多歌手翻唱。能擁有這樣的成績，對於一個新人來說實屬不易。

雖說這首歌的主題並不算新穎，無非是一個「懶理外界聲音，堅定自身所愛」的故事與表達，但以 R&B 的曲風進行演繹，這感情就多了些其他的成分——一份瀟灑、一份從容、一份不那麼在乎外界聲音的鬆弛感。拋卻了憤世嫉俗與決絕後，滿是自信與悠然，甚至帶着一些玩世不恭。這樣的詞曲唱編配合，難怪能夠橫掃榜單，讓大家眼前一亮了。

「反對無效」這歌名，似乎也是一種宣言與註腳——對於世俗的看法以及歌手的選擇。誰有惋惜、有不忿都不理，一切反對皆無效，只堅持自己的本心。

陳詠謙的填詞彰顯出一些屬於俏皮與跳脫於世俗規則之外的少年氣。「讓我的愛惹起公憤」，第一次如此強烈地感覺到陳詠謙作品的可愛與古靈精怪——好像偏要與人作對，要張揚自己的主張，讓人會心一笑，在某種程度上，也確實符合 MC 的選擇與內心。

作為香港樂壇一顆頗受矚目的新星，不論是創作能力、唱功還是舞台表現，張天賦都可以稱得上是新生代中數一數二的，希望在未來，他也依然「懶理外界反對的聲音」，繼續自己的道路。

小心地滑

作曲
徐浩

填詞
黃偉文

編曲
徐浩 / 黃兆銘

監製
徐浩

ISSUE 2022

Written by Lesley

就像每一次看到告示牌上的「小心地滑」都忍不住聯想到那個「究竟是『小心／地滑』還是『小心地／滑』」的俗套笑話一樣，看到MC這首歌名的時候也忍不住因此走神。笑過之後看歌詞，從前的一句四字標語在黃偉文筆下變成「新時代」的「四字問候語」，提醒人們「於『滴水梯間』，『小心地滑』」。

《小心地滑》是張天賦第一首情歌題材之外的歌曲。在情歌主流的時代裏，每當有歌手推出非情歌的題材都讓我覺得驚喜，倘若是和社會議題相關就更心生敬意，畢竟總有些事需要有人寫，而這些詞需要有人唱。張天賦的唱功確實將這首歌中的壓抑和控訴演繹得淋漓盡致：在一串快和密的歌詞裏保持清晰咬字，後接的一句大長句中氣息仍然平穩，副歌與主歌之間高音、假聲和低音轉換自如。

原本還很意外黃偉文寫了這種題材的歌詞，但細想無論是《囍帖街》還是《黑彩虹》，其實黃偉文從不避忌這類社會議題。可這次又有些不同，雖然《小心地滑》仍包含大量隱喻，但Wyman的遣詞造句字字珠璣，以至生出《我的男朋友》裏的味道。儘管有不少歌迷由《小心地滑》聯想到《（你沒有）好結果》裏相似的措辭，但後者全無暗喻隱喻，那些憤懣和委屈都藉着歌詞和盤托出，顯得敞亮；前者則通過「打風行雷」、「濕滑洗手間」等詞渲染出了濃烈的恐怖片的陰冷怨毒氛圍，直到聽到最後一句「祝你盡量長壽些，病夠幾千晚」，才恍然大悟原來並非是問候，而是把一隻「咒」聽到了最後。

徐浩的旋律亦十分特別。歌曲前奏就像極末世電影中的配樂，氣氛壓抑，旋律上行，直到第一段主歌回歸前奏的和弦，再向上節節攀升。第二段主歌的手法令人想起《天水圍城》裏驟然收緊的氣氛。雖然《小心地滑》第二段主歌的歌詞被劃成了三句，實際上旋律裏只分成「你話變壞更易，保晚節，難道有用。起碼今晚舒泰的入睡，毋懼打風行雷，和行路會滑倒」兩句長句，且兩句間並無較長停頓，像是傾瀉的一盆珠子，兩句歌詞的吐字又快又密，與第一段形成鮮明反差。

回到黃偉文的歌詞，題材與風格之外，他在這首歌裏的用詞很廣，當像恐怖片裏突如其來的轟鳴音效響起時，由那些我們常說的「天理不容」、「自有惡報」來寫善惡，寫人間和天公便就顯得理所應當；如果做人無力分辨做人無力強撐，指望天雷預兆天道輪迴，怕也是個惡毒又無力的咒怨。

不知道黃偉文在寫這首詞的時候是否想着「因住仆街」，又是否聽過「小心地／滑」這個無聊笑話。不知道是勸人在善惡裏「睇住仆街」，是勸來往的人小心地上一灘若水、腳底濕滑，還是譏誣地好言勸慰總有一些人即使「落地像碎蛋」，也要「小心地／滑」。

11 湯令山

「人人話我笨　作歌點發達

就算搵夠　買盒飯　唔慌多」

勁浪漫 超溫馨

作曲
湯令山 / 范梓謙

填詞
黃偉文

編曲
湯令山 / 范梓謙 / 鄭子樂 / Warren Pettey

監製
湯令山 / 鄭子樂

ISSUE 2021

Written by man 仔

近兩年的廣東歌壇之所以稱得上重煥活力，是因為不單止有不少年輕新人湧入，而且他們也敢於將全球範圍內的各種流行風格玩法，帶進圈內與粵語音樂做創新結合，從而誕生一批批風格獨特的新作，讓聽眾能從廣東歌中收穫多一份新鮮感。

二〇二一年初，華納唱片就簽約了這麼一位年度新人，自幼學習小提琴和鋼琴的他，先受到Eminem、Bryson Tiller、方大同等海內外歌手的影響，然後又迷戀上R&B、Soul和Hip Hop等黑人音樂，後來更前往波士頓的伯克利音樂學院修讀電子音樂製作，可謂科班出身。出道不久即被樂壇前輩評為「新生代最具潛力的 R&B 唱作歌手」。他，就是 Gareth.T 湯令山。

加盟華納前，Gareth.T 發佈的多為英文單曲，加上他本身操着一口流利地道的英文，不少人都誤以為他是從國外回來的 ABC。直至二〇二一年聖誕節前夕，他終於發佈了個人第一首廣東歌《勁浪漫 超溫馨》，自己參與曲編監，填詞部分交由黃偉文創作。而 Wyman 則交出了一份「勁貼地 超得意」的詞作，令這首歌成為 Gareth.T 的首支三台冠軍歌，風格獨樹一幟的湯令山也因此被更多廣東歌迷所認識。

有網民評論這首詞 Wyamn 寫得很隨便，但我反而更覺得這是為 Gareth.T 度身訂造的誠意作品。歌名「勁 xx 超 xx」，本身便是香港人日常對話中經常會出現的詞組，例如「勁搞笑 超低能」、「勁仆街 超黐線」等，是一種既誇張又市井的表達。其次，為配合 Gareth.T 一貫走的 R&B 路線，歌詞並沒有過多講求押韻對仗，全篇地道口語化表達，過渡段還加入了一兩句英文「If that's all we have」，營造出一種很 chill 很即興的感覺，讓人聽了後會驚覺「原來廣東歌可以咁玩」。

而在一個吸睛的題目下，這份「勁浪漫 超溫馨」又是如何鋪開描述？歌曲開篇就從Gareth.T的職業身份做切入，「人人話我笨，作歌點發達，就算搵夠，買盒飯，唔慌多」，先自我調侃職業音樂人的發展「無錢途」。但誰説窮就不能浪漫溫馨了，眼見這個世道下，有多少「傻佬傻婆」不是每天頂着壓力捱着窮，仍然能開心過日子呢？

「聖誕冇大餐」冇問題，「空氣當禮物」都冇問題，既然以前都會唱「鹹魚白菜也好好味」，如今亦可以「買兩粒燒賣當火雞」。難道「銀行存款等如零」的窮鬼就沒資格談情説愛了嗎？

答案顯然不是。Gareth.T和Wyman將「每個人都有愛的權利」這個大道理無限地通俗化和生活化，無論「寒酸炒冷飯」抑或「提子乾兩份摵」，都可以超溫馨。一句「你使乜心急帶我去日本，銅鑼灣夠有五十隻綠茶，係你教識開心咁簡單」，相信也足以打動鍾情於去日本旅遊的香港樂迷。

下次如果有人問你，覺得怎樣才算是「勁浪漫 超溫馨」，我想這段歌詞會是一個最高級的答案：「唔使點搭車，唔使出街食，唔使點着衫，淨係抱得好緊。唔使懶高級，唔使碌黑卡，床鋪碌一日，同樣覺得high。」

12 張進翹

「當春風忽然無聲
我為你頌唱
爛地上一起起個孩子的家鄉」

無可救藥的浪漫

作曲
林二汶

填詞
周耀輝

編曲
張進翹 / 林二汶 / 蔡德才 @ 人山人海

監製
林二汶

ISSUE 2021

Written by Lesley

「無可救藥的浪漫」這個歌名，一聽就覺得很浪漫。抱着這樣的想法，等了很久之後終於等到這首歌推出，點開音樂，迷幻的人聲和節奏似乎要從旋律裏炸出來。

二〇二〇年很多人透過《全民造星三》認識Manson張進翹。一年後的夏天，張進翹攜手周耀輝發佈個人第二首單曲《無可救藥的浪漫》。和期待的極致抒情歌曲不同，和期待的浪漫愛情宣言也不同，在歌曲簡介中，歌手張進翹將「歷險」和「浪漫」連接在一起，將生命作為這一場歷險和一次浪漫的載體。由第一個音符到最後一拍結束，浪漫自伊始漸進尾聲，到了最後一刻，這一曲生命的浪漫又會被寫成甚麼樣的歌？

周耀輝的浪漫別具一格。快節奏的旋律裏，歌詞卻像很慢的詩行，帶着幾分天馬行空的趣味，又像是回到童年時最不着邊際的奇想，在這條路上走，「記住陪我，不要阻我」。

就這麼向前走，一面囂張，但暗地裏，其實也一面慌張。少年人愛幻想，少年人又被現實擊敗，滿身傷痕之後只好為自己療傷。

但是偏偏有人不憚現實，偏偏有人拒絕吃藥，在眾多正常人之中，做無可救藥那一個。「無可救藥」本身就帶着一種行至末路的絕境意味，不知道在生命的哪個階段有了這種覺悟和信仰，不懼行差踏錯，走過一遭亂世，像歌曲旋律裏的節拍砸到最後從地上反彈，在空中炸出一朵煙花。

不是同愛侶，不是和友人，這種浪漫和愛先是自己於自己的饋贈；所有愛和浪漫都理應由自己開始。把自己當成無數朵煙花，可以絢爛也可以消失，已經足夠浪漫，配合着「w're so romantic」的歌詞，Manson毫無隱藏，而這種浪漫被肆無忌憚地袒露，在「無可救藥」的瘋勁之餘，是另一層更大聲的吶喊。

浪漫就是「幼稚到所有前途，想到上就上」，「只需要想像」，嚼着最苦一枝蒲公英，還可以見繁星。愛自己愛的，信自己信的，活在自己心上，掙出一身鮮血也不用吃藥療傷，活到讓所有「正常人」覺得異類無可救藥，而自己心知肚明，這是最無可救藥的浪漫。

與生命談一場浪漫戀愛，從懵懂酸澀、熱情洋溢到平淡繁瑣，曾徜徉在幻想之中，捕捉最亮一顆星，也經歷着現實，見證煙花熄滅之後，全城寂靜而黑暗的模樣。人總是不可能隨心所欲地活，總有一處傷口發炎潰爛，需要治療。

但是無論如何，都要記着煙花綻放的時刻，成為愛最神聖的信徒。等下一次盡力去點燃那一炮煙花，再把這一首浪漫的代表作當成生命的禮讚，這才是最無可救藥的浪漫。

CHAPTER TWO

CANTOPOP

黃 妍

曾樂彤

陳凱詠

李靖筠

麗 英

張蔓姿

女歌手篇

FEMALE SINGERS

01 黃妍

「若有傷 能豢養 來哼出你的軟弱
沒有獎 能頌唱 縈繞的女音誇張放着」

笑容迷路了

作曲
黃妍

填詞
周耀輝 / 王樂儀

編曲
鄺梓喬 @emp / Ariel Lai @emp / Edward Chan

監製
Edward Chan / 鄺梓喬 @emp

ISSUE 2018

Written by Clover

Cath 黃妍是新生代唱作女歌手中我非常欣賞的一位。自二〇一八年第一首派台歌《如何從夏天活過來》開始，其可愛率真就吸引了我，隨後推出的每首歌曲我都定必準時細聽，用心感受她作品中的信息和力量。

第一張文青氣息濃厚的《黃妍說》專輯藏着她很多心思；第二張以九種瑣碎之人事物引伸出九種成長哲學的《九道痕跡》更深層次地唱出不同力量；再到後來派台的《世界以痛吻我而我歌唱》嘗試以新的聲線及演繹方式詮釋。這一步一步走來，我們都看到了黃妍在不斷進步，以及喜歡嘗試音樂新風格，積極尋求突破的面向。

為黃妍這篇文章選曲的時候苦惱了良久，最後還是選擇早期這首簡單純粹又唱到心坎裏的《笑容迷路了》。這首關於「找回自己」的歌，由 Cath 自身經歷出發而創作，大概，這也唱出了很多初踏入社會埋頭工作而忘記了自己的上班族心聲。

在成為歌手前，黃妍曾在社交媒體公司市場推廣部任撰稿一職。回想初踏進社會工作的自己，Cath 分享道：「第一份工作經常要 OT，沒有時間做音樂，但稍有空閒我也會拍片放上網，不過熟悉我的朋友，看完那些片段，都會覺得我笑得夾硬，欠缺靈魂，過去的笑容較有感染力，但那時候的笑容卻有趕客、令人想立即停播的感覺。」當時的她感到很恐慌，隨之通過寫歌紓發那些恐懼，因而創作這首提醒一眾上班族不要因為工作而令自己笑容迷路了的作品。

「笑容蕩到哪裏，找不到了」？你有沒有試過工作壓力大得喘不過氣來？當連呼吸都覺得辛苦了，更別說要笑了，然而面對客戶、上司或同事時，免不了需要擠出一點笑容來。「我們大概慣了強顏歡笑」，久而久之，笑容迷路了，自己，也迷路了。無論工作如何一步步地吞噬着生活，作為一個有想法的獨立個體，當情緒到達臨界點之時，「爆煲」過後，還是會領悟到沒有甚麼比自己開心來得重要。

「明知街邊歌唱，都開心大笑，明知匆匆一世，太飄渺，花一秒決定自己多麼重要。」

在街邊歌唱因喜歡而笑，看見小動物路過因可愛而笑，飲用了珍珠奶茶因滿足而笑，每一天都有或大或小的美好值得我們駐步微笑。願這首歌能提醒你勿忘自己。哪怕生活再多繁瑣事亦能聽着這首歌，找回你的舊氣息、舊信心和舊笑容，不要把那個因快樂而笑的自己丟了。

我沒有歌

作曲
黃妍

填詞
王樂儀

編曲
Frankie Yip

監製
Edward Chan / SOHO

ISSUE 2021

Written by Recole

不知道大家每天都是懷着甚麼樣的心情打開手機裏的音樂串流平台呢？

黃妍這首《我沒有歌》當中的一句歌詞大概替大部分人道出了答案：「我想有一首歌，安慰我」。

近幾年，我們可能發現自己正經歷着越來越多的「失語時刻」，很多感受和情緒不知道該如何表達，總覺得說得再多都詞不達意，於是便乾脆選擇沉默，甚至主動抑制自己產生一些強烈的情緒，盡量讓自己保持平和的心態。那種感受大概就如黃妍所言，《我沒有歌》讓她有很多情緒，但她卻找不到一首歌可以表達這種情緒。

在正式入行前，與很多音樂愛好者一樣，Cath 常常在街頭 busking，唱的都是別人的歌，常常被人說「沒有歌」，便寫了這一首《我沒有歌》來「回應」大家。

自己因為純粹熱愛一件事，願意為之專注投入，卻無端被潑冷水，心裏難免委屈，於是當時的 Cath 抱着「賭氣」的情緒，不太情願地在歌裏用了中英日韓四種語言對此表示抱歉：「對不起／I'm Sorry／ごめんなさい／미안해요」。編曲也製作得輕快頑皮，頗有種「我所愛，我不改」的倔強。如今已入行幾年，Cath 表示此刻的心境與當時已經完全不一樣，於是便找來王樂儀將她原先那份「無聊」的詞改掉，唯獨保留了那四句道歉。同樣是道歉，但這次更多是出自真心，為曾經的「唱過甚麼也都不對」感到抱歉，也為「時代剎那變到太難講清楚」而遺憾。

作為一名創作歌手，Cath 坦言最大的目標是可以用音樂與人產生連結，聽似俗套，卻道出了每一位創作者最純粹真摯的願望。與此同時，拋開歌手身份，她與我們一樣也不過是個普通人，曾幻想「跟偶像談戀愛」，也因為流行曲哭過笑過。從樂迷成長為歌手，如何將心中的想法表達，將會是她音樂路上需要時刻探討的課題。偶爾的靈感缺失，難免會遇上「彈着仍出了錯」的時候，但只要曾經哪怕與某個相似的靈魂產生過一絲絲細微的共鳴，其實已經是非常難能可貴的事情。就像是一種最溫柔的共振，讓每一寸肌膚都感同身受。

就好像此刻的我寫到這裏，腦海也像是忽地斷了電，不知道該怎麼寫下去。慶幸的是，在這一秒鐘，我正聽着這首《我沒有歌》，而歌裏也正是我想表達的話。

那麼，就讓音樂代替説話。

曾樂彤 02

「青春消耗過 從來簡單 找到真我 不簡單」

天空之門

作曲
Cousin Fung

填詞
王樂儀

編曲
Cousin Fung

監製
Cousin Fung@emp

ISSUE 2020

Written by Recole

《天空之門》的前奏一響起，彷彿一下子就將人帶進了宮崎駿所構造的廣闊世界中。

曾樂彤於二〇二〇年九月推出的這首《天空之門》，最開始乍眼看成了「天空之城」，後來卻發現「錯有錯着」，讓我意外收穫一首不管是聽旋律還是看MV都有點「宮崎駿」風格的作品。Cousin Fung的旋律非常有動漫的感覺，配合王樂儀勵志鼓舞的歌詞，就像是開啟了一扇「天空之門」，瞬間將人帶回那個無憂無慮的童年。

這首歌的 MV 也配合整體風格採用了全動漫製作。最開始，主角也不過是個在香港這座大都市裏每天營營役役奮鬥的上班族。在一次上班途中，她因為被空中的一道魔法之光吸引，導致手袋上掛着的玩偶被一位過路人撞跌，她的世界也隨之開始「天崩地裂」。為了撿回玩偶，她越過一片廢墟，終於排除萬難將它拾起，卻瞬間像是被觸發了某種魔力，獲得了通往天空之門的鑰匙。

宮崎駿曾說：「我認為創作動畫就是在創造一個虛構的世界。那個世界能撫慰受現實壓迫的心靈，激勵萎靡的意志，能化解紊亂的情感，使觀者擁有平緩輕快的心情，以及受到淨化後的澄明心境。」每天在大都市中奮鬥掙扎的我們，生活中難免有想要逃離現實的時候，就如這首《天空之門》所塑造的歌者形象，急需從虛構的烏托邦中找到前進的動力。「懷疑成長無歌，只有艱難掙扎」。成長難免有創傷，但幸好一路上總有無數的人或事支撐着我們，使我們驕躁的心沉寂下來，教會我們「命運愈是險要愈行下去」。

凝聚了夢想、熱血的動漫大多以陪伴式成長為主題，大師們一直努力在塑造一種成長的「實質感」，同時也將當中「美麗」與「哀愁」這兩者平衡得很好。自己本身就是動漫迷的曾樂彤出道前曾是人氣 YouTuber，外表陽光，個性鬼馬活潑，頗有日本晨間劇女主的神韻。這次透過《天空之門》，她也「身體力行」將動漫的這種精神放進自己的作品中，希望能鼓勵像她一樣的年輕人，聽從心底的渴望，朝着這世界最寬闊的路、最精緻的夢去追。

要相信——相信自己雖然平凡，卻具備足夠的善良、勇氣與潛能，跨過那道天空之門；要期待——期待着奇遇會在不經意間降臨，不管是在田野中奔跑的孩子，還是在大城市努力適應的少男少女，前方都總有值得你憧憬的未知奇遇。

陳凱詠 03

「誰知我
上傳十個限時動態定時直播
醉過喊過期待有他深切慰問我」

天生二品

作曲
馮翰銘 / hirsk/ 陳凱詠

填詞
鍾說

編曲
hirsk

監製
馮翰銘

ISSUE 2020

Written by Lesley

二〇二二年再提起「Jace Chan」這個名字，很多人都不再陌生。但在二〇一九年之前，大家對這個名字的印象還停留在香港環球唱片公司的一位主播，或二〇一八年《全民造星》中的一位造型師，又或偶然聽過她上傳過的翻唱片段的網絡歌手。

二〇一九年，陳凱詠初初作為歌手出道便獲得該年度樂壇新人大獎，從那個時候開始，她才以歌手陳凱詠的身份被眾人熟知。繼二〇一九年推出單曲《想正常》《想突然》和《講》之後，二〇二〇年五月二十號，陳凱詠攜手馮翰銘、hirsk 及鍾說連袂打造新歌《天生二品》，在輕快靈動的旋律中，創作者們希望用音樂告訴每一個人「做回自己就是最好的存在價值」。

兩年後在新歌《Long D》的採訪裏再提這首歌，Jace 坦誠其實這些樂觀的歌曲首先是為了激勵自己。覺得自己「未夠不羈、未夠有信心，所以我要唱、唱很多次」，以此來為自己建立信心。即使定義自己為「天生二品」，Jace 毫不怯場，仍在歌曲開頭大方地自我介紹以迎接世界的惡意。不入主流、單打獨鬥；體重總難以滿足大眾的嚴苛要求，外表時常不達完美的標準；即使萬全，無配偶或未成家仍可以成為他人挑剔的準則。人們越來越偏愛評價和要求他人，也越來越偏好用各種標準來量化一個人存在的價值。

要做這個，要聽那個，可是身為自我，為甚麼不能去做自己想做的事，而要跟着別人的指指點點走下去呢？

如果天生好動，就應該站起來跳舞；如果嚮往宇宙，就應該在「銀河裏馳騁」；如果「美麗怪奇」，不如保持自我，做他人都無法比擬的那一位。我知道你知道你知道我知道。我知道這些的，你也知道且內心無比確認，當我知道了其實你對這件事再清楚不過之後，我們可不可以達成共識，不用再對我講三講四，我的作風天生不改。

「我是最好的那一位」——是我的錯覺嗎？可是灰茫的塵埃之中有太多顆星，難以計算哪一粒是最耀眼或神奇，但似乎唯有我因這種想法而閃着光亮——你會喜歡這樣發着光的我嗎？

不要計較這顆星星沒有平滑表面，不用要求這顆星距離太遠或太近，不要用一把尺子去衡量與計算我是否偏離了軌跡；我從未懼怕思考，亦從不膽怯表達，所以從不會顧忌太多；我從未被標準束縛，亦從不在多元的角度同單一比較，所以我從不會自卑，更能接受自己的美、自己存在的價值。

不要再把手指指向他人，告訴他們這樣不對、那樣不行了。跳脫出單一的標準，每顆星星都有着自己渺小的光暈，我們或許應該去嘗試愛上這些不同的光亮，而不是熄滅它們、再點亮成自己偏愛的模樣。

聽到最尾，突然恰如明白一句「某某」可以指代你我，歌名的一句「天生二品」只是創作者在這首歌主題價值以外的叛逆和自嘲。或許願意改名入流，或許懶得澄清，或許甘願自我調侃，但是我仍然知道，你也應該明瞭，我的作風天生不改，我是我的「天生第一」。

隔離

作曲
嚴曉蕾

填詞
陳耀森 / KW 朱敏希

編曲
蘇道哲 / Nic Tsui

監製
馮翰銘

ISSUE 2020

Written by man 仔

不用靠大數據分析也大概能猜到，「隔離」應該是近年來出現頻率最高的詞語之一，由於新型冠狀病毒在全球範圍內肆虐不斷，戴口罩、被隔離這些原本離我們很遠的事情，已經逐漸日常化，並且在我們每天的生活裏重複上演。

一旦「被隔離」就至少七天，這令不少人對這個詞產生 PTSD，而遺忘了廣東話還有另一個同音詞「隔籬」，意思剛好與「隔離」相反，是指沒有阻隔、就在身邊的意思。

Jace 陳凱詠於二〇二〇年推出的一首廣東歌《隔離》，巧妙地將兩個同音詞放在同一個故事裏，「我想你喺我隔離，但係你卻隔離了我」，借社會現象入題，訴說少女的點滴心事。歌曲在派台之初便獲得廣大網民聽眾喜愛，在多個音樂串流平台也獲得榜首成績，後來 Jace 還乘勝追擊請來林家謙一同演繹合唱版，一個飾演被意中人有心「隔離」的女生，一個飾演默默守候在心儀女生「隔籬」的男生，令整個故事情節變得更加豐富和動人。

歌曲能有如此奪目的成績，由陳耀森和朱敏希合力填寫的歌詞功不可沒。作為一首「寫實主義」的作品，歌中用詞本身就十分貼近港人的日常生活，「藍剔」在 whatsapp 中代表已讀，自然能「誘惑我等他一堆廢話」；而「單剔」則代表對方有可能封鎖了自己，直接「隔絕我跟他」。十四天，可以代表一段隔離期的完結，足以證明自己沒有受到病毒入侵；而在此歌中，十四天「大概足以證實，他已狠心離棄」，代表着一份期待被愛的希望正式破滅。

但歌中的女主角似乎仍未心死，既然私訊得不到回覆，那就換個招數「上傳十個限時動態」或者「定時直播」，把自己「醉過、喊過」的片段有意無意地展示出來，期待他看到後會「深切慰問我」。雖然結果女主自己也很清楚，終止這段關係「他更快樂」，只是她無辦法接受自己「未曾犯錯」就被故意避開，這就好比我們都未驗出核酸陽性，就要被強制隔離一樣。

最難受的，永遠不是真相不如人意，而是「阻止我搞清楚」真相是甚麼。從歌名命名為《隔離》的一刻開始，我就有理由相信創作者並不會甘心只寫一首情歌，當我們嘗試再結合社會的種種現象來細品歌中的每一句詞時，也許便能理解歌中女主角為何要一意孤行。

04 李靖錡

「讓我經過　傷害　最終等到　自愛」

小蚊赧

作曲
李靖筠

填詞
小克

編曲
徐浩

監製
徐浩 / 廖志華 / 譚健文

ISSUE 2019

Written by Jeekit

我覺得李靖筠是當今香港樂壇一個很「矛盾」的存在，既顯得文藝小清新，又偶爾透露出一點點小叛逆。雖然她以歌手身份出道的時間不長，但其音樂個性和風格都頗有記憶點。比如她在二〇二一年展開了聯合蘇道哲、林若寧創作愛情三部曲的企劃，講述了一段女生出軌的故事，並探討出軌的人的心態，題材可算新穎又大胆。而對於我來說，對她最深的印象，要算是她二〇一九年剛出道時的這首《小蚊赧》。

「蚊赧（naan5）」就是被蚊

子咬過後身上留下的紅色腫脹。你很難想像如何把「蚊粄」放進一首情歌裏，但正正因為這份出其不意，為這首情歌創造出了一些些意想不到的新鮮感。

歌曲用「蚊粄」來比喻初戀。被蚊子叮咬後，我們的身體通常會長出腫脹，讓人覺得很癢、很想去抓，抓完後覺得很爽。但是如果太用力就很容易抓傷，如同初戀時，你的注意力會情不自禁地全放在對方身上，但太在乎有時又會令自己受傷。

《小蚊粄》是一首又癢又甜的情歌，歌曲新穎的立意、充滿律動的編曲，加上李靖筠小清新的聲線，把初戀的瘙癢感唱了出來。「一針給牠，飽滿未來」，蚊子一咬，預示着一段愛情的來臨。有人可能會說，如果愛情真的來得像被蚊子叮那麼容易，那他願意天天喂蚊。回到正題，其實，《小蚊粄》想告訴大家的道理都在那一句歌詞裏：「讓我可以等待，學懂怎去自愛」。

其實被蚊子咬了之後，有多少人可以忍住不去撓它？大多數人看到「蚊粄」甚至會忍不住在上面按出一個十字。「想他闖入我大門內，想他倒在石榴裙外，雙方生命，從未抱緊，怎麼想得死去活來」，這一種騷動的心態和少女對愛情的憧憬，可能僅一次小小的心動就已經讓女主角在腦中上映了一場愛情片。

「輕輕扤出破折號，小腿的蚊赧要搔」。在「蚊赧」上畫破折號很爽但有時又會弄傷，而《小蚊赧》的建議是：想，就去做吧。「只想體驗，愛是存在」，但同時要稍微「留心發力程度」。

「流血都未算煎熬，赧一退搽潤膚膏，終於等到愛情到。」

痛過的人，才知道怎麼樣能在下次拿捏好分寸，不讓自己受傷，也不讓心愛的人受傷。既能愛人又能自愛的人，還擔心愛情不找你嗎？

麗英 05

「誰又要鈣質 贏在有氣質」

東京一轉

作曲
Daniel Chu
填詞
鍾說
編曲
Perry Lau
監製
Daniel Chu

ISSUE 2022

Written by Jeekit

現在早已不全是完美偶像的時代了，真實和貼地的藝人也能透過網絡收穫關注和粉絲，比如女歌手麗英。

身高不足一百五十厘米的麗英，沒有高挑身材及出眾的外貌，卻憑藉 YouTube Channel 小薯茄在網絡殺出一條血路。不僅能演戲，還充分發展自小已有的唱歌興趣，開始作歌和唱歌，隨後更正式以歌手身份加入樂壇。

在一次訪問中，麗英坦言自己的夢想是成為一個令人開心的人，這一點也體現在她的作品中，風格清新怪奇有趣，字裏行間總透露着她樂觀的處世哲學。麗英自小已習慣自己不是美女及「生得矮」，於是她自稱矮妹界代表及「全死角美少女」，也在歌裏自嘲過自己的外貌、身高以及單身的狀態。高妹有《高妹正傳》，她便寫一首《矮妹正傳》與一眾矮妹圍爐取暖；「冇拖拍」好似好慘，她卻又真心覺得「明明單身最開心」，在歌裏大膽釋放真性情。

過去，麗英的作品大多數以自身缺點為題材。來到二〇二二年，麗英開始跳出「説自己」的框架，藉首支派台歌《東京一轉》，用不到四分鐘的時間帶大家去東京遊一轉，希望讓大家可以忘掉現實中疫情帶來的種種煩惱，開展一趟夢幻的島國解憂之旅。

《東京一轉》旋律輕快，很有日本動漫主題曲的感覺，麗英的聲線也十分甜美清脆，讓人一下子就進入到輕鬆出遊的場景當中。久未外出旅行，她本人對此如今也有了不一樣的心境：「我們會想念在外地遊歷的時光，有出走的慾望，無非都是想找到一個能歇息的地方，逃離現時生活的煩擾和壓力。旅遊的時候，我們總會發現存在於世界上的美好，建構出自己心中的烏托邦。心中有海，哪裏就有海，無論你身處何方，都要保持動力與熱誠生活下去。」

而一向熱愛 J-pop 的她，隨後也推出了《東京一轉》的日文版《東京夢遊》，藉這首歌一圓擁有屬於自己的「本地日語流行曲」的夢。

麗英一直以來的經歷和這首歌曲給予我最大的啟發便是「想到就去做吧」！就像《東京一轉》裏有一句唱到的「再等多等，行到就到」。我們是自己的第一扇門，假如始終不打開，就算房間裏裝滿再多寶藏，也不可能被發現。又比如即使疫情中，也可以想想怎麼讓自己在被限制的條件下，做自己最想做、最喜歡做的事情，就如 Wyman 在《東京人壽》裏寫的那句：「隨意浪費着美景，才是對它不敬」。別忘了，有時候「美景」不在國外，不在別的某個地方，它就在你身邊。

06 張蔓姿

Gigi Cheung

「我有我姿態 要看化事態荒唐

我有好心態 笑看這荒謬世界」

深夜浪漫

作曲
張蔓姿

填詞
張蔓姿

編曲
李一丁

監製
李一丁

ISSUE 2021

Written by man 仔

每一次在深夜時分聽到這首歌，時間就像靜止了一樣，那種只有在夜深人靜時才會散發出的曖昧氣味，會瞬間充滿整個空間，除了甜味似乎還夾帶着一點酸澀，讓人意猶未盡。

《深夜浪漫》，驟眼看歌名以為又是一首大路流行情歌，但抱着對新人張蔓姿的好奇，初次遇見時我還是沒忍住點開了它，沒想到竟然有意外收穫。

二〇一六年從表演系畢業的張蔓姿 Gigi，多在電視劇和 MV 裏出鏡，直到二〇二一年才開始以歌手身份加盟華納唱片，但憑藉在音樂作品上呈現出廣東歌壇罕見的迷幻、慵懶風格，出道第一年便奪得二〇二一年度「叱咤樂壇生力軍女歌手金獎」。《深夜浪漫》是Gigi第二首音樂作品，跟第一首一樣繼續堅持由自己包辦詞曲創作，而編曲監製則是由小塵埃的音樂監製、知名鼓手李一丁負責。

這首歌曲最初吸引我的地方，在於它的旋律和編曲，正如歌名一樣，在歌者還沒開口唱之前，就已經營造出一種深夜時分的浪漫氛圍，再待Gigi唱出那句「夜裏，天色昏暗，沒有睡意，想起你，想問你，are you sleeping yet」時，腦海裏的畫面就會漸漸浮現，女生在床上輾轉反側，自然而然地想起了那個他，終於忍不住掏出手機，想借一句「Are you sleeping yet」來開展一次深夜的曖昧對話。

歌中以第一人稱的視角，細緻描繪了女生在這次深夜對話時產生的許多心理活動，既想「裝作沒有在意」，但又偏偏不爭氣地「留意everything you do」，當看到他在社交媒體上「發佈照片」時，又很想知道對方是否有甚麼心事。這一舉一動，都那樣地似曾相識，這不就是我們墜入愛河前都會做的那些「傻事」嗎？

「So I think I miss you」。這一切都發生得既突然又自然，也許連我們自己都沒有一絲防備，原來這就是所謂的「曖昧」。從最初你來我往的簡單問候，漸漸發展到一大段的「交換秘密」，文字裏散發出的甜蜜感覺簡直不能更美好了，怪不得經歷過愛情的人永遠都想「留住此刻心動」。I want to tell you how I feel，I am just falling for you.

歌曲還有一處特別有意思的地方，細心聽便會發現，除了歌者的內心戲外，Gigi 還在第二段主歌部分，把短信裏口語化的曖昧對白，直接融進了歌詞之中，「時間到了兩點，你 text 我問我去咗邊，冇啊，我等緊你上線」，融合得十分巧妙自然，浪漫氛圍也瞬間被拉至最高點，單聽聲音都能感受到女主角的噗噗心跳。

經歷了這夜曖昧對白，結局又將如何？Gigi 不費周章地以一句「終於，你愛我不是秘密」道破，而其他後續的細節，則給予了聽眾適當的留白和遐想空間，令到旋律在結束後仍能瀰漫着浪漫氣息，讓人沉浸其中久久不能自拔。

炎明熹 07

「我的妄想 你知道嗎 火星唱歌感染他」

真話的清高

作曲
Raphaella Mazaheri-Asadi/Luke Juby/Harry Rutherford

填詞
黃厚霖

編曲
Luke Juby

監製
韋景雲

ISSUE 2021

Written by man 仔

若要細數當今香港新生代中同時具備人氣和實力的歌手，Gigi 炎明熹絕對佔得一席。年僅十七歲但唱腔成熟、聲線獨特漂亮、舞台發揮穩定、情感駕馭到位……Gigi 身上實在有太多的閃光點，多位樂壇前輩都對她讚不絕口，甚至認為她是香港近幾十年來難得一遇的天才型歌手。

「天分」是人們談論起 Gigi 最常提及的詞語，但年紀輕輕就獲得如此多高光瞬間，單靠天分恐怕不夠，「勤奮」也是她的秘密武器。自幼熱衷唱歌的炎明熹，習慣在網上自行下載歌曲練習，不斷鍛煉自己的唱功，後經家人鼓勵和支持，開始進入專業的音樂學院接受栽培，期間她更通過積極參加校內外的才藝表演汲取舞台經驗，在出道前已經有比同齡人更堅實的演藝基礎。

作為《聲夢傳奇》三料冠軍得主，炎明熹在選秀結束後，也順理成章地成為星夢娛樂（TVB Music Group）旗下歌手，並發佈個人第一首派台歌《真話的清高》。歌曲監製韋景雲特意為 Gigi 挑選了由外國團隊譜寫的曲，打造成一首「唱將式情歌」，試圖將她聲線的特質和優勢發揮到淋漓盡致。歌曲甫一推出，便不負眾望地奪得多個音樂榜單的冠軍，MV 不到一個月時間也破百萬點擊。

《真話的清高》，顧名思義，是一支關於信任的作品，歌中女主角正在經歷着一段充滿謊言的愛情，男友的「言語有多真」她其實早已心知肚明，只是一直沒去拆穿。與其說是愛情讓她沖昏頭腦，從 Gigi 的演繹中，我更覺得是理性抑制了她情緒的爆發。

從歌曲一開始，Gigi 使用渾厚磁性的聲線進行演唱，加上歌詞本身使用了多句祈使句，「你不需冷淡」、「不必再問」、「不懂得請跟我説別客套」，有意塑造出一種冷酷、嚴厲的女性形象。簡單的一句「其實無謂解釋」，並不再是以往小吵小鬧的氣話，而是她去意已決的象徵。面對這種「騙我也要設好圈套」還要「流着淚扮原告」的渣男，又何須再轉彎抹角呢。

不同於以往大多數流行情歌的結構，這首歌曲早早地在四十秒左右便開始接入副歌部分，「懂不懂真話的清高？」用問句形式對這位滿嘴謊言的伴侶提出控訴，緊緊地拿捏住道德的至高點，讓對方無法再狡辯，用「快狠準」來形容簡直最貼切不過。

當聽眾還在佩服女主的豁達和堅韌時，歌曲末段始終還是破防了，她開始稍微展現出脆弱和無奈的一面，對對方發出哀嚎「講一聲真話好不好」，又陷入自我掙扎，「我不想、我不想再聽，我錯了早應該醒醒。」但這才是人性最真實的一面。

整首作品聽下來，大多數片刻都在散發出與炎明熹年紀不相符的氣質，青春少艾對愛情怎可能這般理性和決斷，但這絲毫沒有影響 Gigi 的發揮，憑藉着自己的代入想像和製作團隊的反覆講解，她最終還是駕輕就熟地交出了自己人生中第一首歌曲。

愛是帶種缺陷的美

作曲
蘇道哲／胡鴻鈞

填詞
鄭敏

編曲
蘇道哲

監製
蘇道哲

ISSUE 2021

Written by Lesley

詞人和歌手對於「愛」究竟有多少種形容？一本字典與一本聖經、童年記憶裏最精緻的法國甜點……「愛」在很多旋律和歌詞裏被具象和浪漫化，然後在意象之間，生出新的抽象的意義。相比之下，胡鴻鈞和 Gigi 炎明熹推出的合唱歌《愛是帶種缺陷的美》就比其他象徵和比喻都更好理解。

很多人透過《聲夢傳奇》認識了炎明熹這個十七歲的女孩，彼時的她初站上舞台，就以幾首破百萬點擊量的翻唱成為《聲夢傳奇》「專業評選大獎」、「觀眾熱選大獎」及「傳奇新星」的三料冠軍。繼MIRROR、林家謙、MC張天賦等男歌手再次點燃了香港樂壇的星火後，炎明熹以新星女歌手的身份書寫了香港樂壇的另一新篇章。

於十七歲的少女而言，愛可以是甚麼？

愛是不完美的美。這麼想又免不了覺得俗套。實際上這首歌裏的愛情故事恰如我們在別處聽過千百遍的一般，略過最心動和最澎湃之後，餘下的時間都在計算分開是不是更好的選擇。放大所有細節和想法，無比認真地對待兩個人逃避的眼神；其實如果想要分開，總能挑剔出太多不合襯，然後再用這些標準挑剔下一個。

近年男女合唱的作品並不算太多，大部分都是一人一句或一人一段，你唱你的，我唱我的，到了最後把兩個人的段落拼成一首歌，才發現二人從一開始就有太多無法調和的想法。但是既然已經被拼進一首歌的框架裏了，只能唱到歌曲結束。

不像那些帶有試驗性意味的合唱作品，這首《愛是帶種缺陷的美》既遵循着大部分合唱歌的範式，又不至太過中規中矩。即使歌詞裏唱着兩個人太不合襯，但現實中胡鴻鈞和 Gigi 的聲音卻顯得相得益彰。二人的演繹讓人覺得那些自言自語即將發酵成爭吵，但似乎就差最後一句，那些不滿又全變成只說給自己聽的話了。

愛是帶種缺憾的美，要先領悟到愛的美，才會感受到原來其間也存在太多漏洞。但是當人們領悟到愛的缺憾時，就只剩下「愛不完美」這句話本身了。或許離開的時候明瞭的並非「愛是帶種缺憾的美」，而是寄望下一個可以修復那些不完美的地方，讓自己關於愛的快樂再一次鮮活。

於是再出發找愛的美，於是每一次都在重蹈覆轍。

就像「失去以後才知道珍惜」想教會你的一直都是「在下一次失去之前，珍惜身邊人」，愛的不完美想教會你的，其實除了「愛有缺憾」，還有「愛是美的」。所以才能在分開以後堅信你是對的人，時機從來也沒有誤差，關於我們的一切都正確，分開的理由便交由遺憾處理。

因為記住「愛是美的」，所以才有那些眼裏全是你的時刻，才能依舊感同身受內心發酵至膨脹的快樂。

08 姚焯菲

Chantel Yiu

「原來談戀愛 等不到悔改

原來談戀愛 專一都有害」

原來談戀愛是這麼一回事

作曲
Cousin Fung@emp

填詞
陳耀森

編曲
Cousin Fung@emp

監製
Cousin Fung@emp / Edward Chan

ISSUE 2021

Written by Recole

談戀愛究竟是怎樣一回事？

這個連很多成年人都未必能想清楚的問題，沒想到會在一個十五歲小妹妹的出道曲中聽到一種純粹直白的理解。

Chantel 姚焯菲因參加 TVB 大型歌唱選秀節目《聲夢傳奇》進入大眾的視野，更憑藉翻唱《戀愛預告》在大眾心中刻上了「國民初戀」的印象。當時年僅十四歲的她用她那天然純淨的歌聲與笑容，將更符合當代少女氣質的那種「甜蜜」詮釋得恰到好處，將戀愛描繪得如同春天的櫻桃一般剔透而美好。其演唱版本至今網上點擊率已超過五百萬，也是第一季中唯一一個達到此成績的學員。

比賽結束後，各位參賽者都陸續開始踏上星途，姚焯菲也不例外。二〇二一年十月，獲得比賽亞軍的 Chantel 正式推出首支個人派台單曲《原來談戀愛是這麼一回事》宣佈出道，也成為了繼 Gigi 炎明熹之後第二位推出個人單曲的聲夢學員。

「當初有幾甜，而家就有幾苦」。按照劇情，在《戀愛預告》中初嚐「醉了櫻桃」的滋味以後，這位小女生發現原來愛情並不是只有甜味。眼見眼淚的咸苦與心情的酸澀取代蜜甜，她對戀愛中出現的各種變故開始感到難以招架。爭吵、猜忌、厭惡和矛盾，這些消極情緒無形中使她失魂落魄，最開始對愛有着的無限憧憬，如今卻演變成擔憂和恐懼。面對戀愛這道遠沒有她想像中那般美好和簡單的題目，又應該作何解答？

作為年僅十五歲的 Chantel 的出道曲，這樣關乎戀愛的題材必然是顯得早熟了些。在作品受到讚揚之餘，當然也有一些樂迷提出了自己的質疑。但如果嘗試以 MV 中 Chantel 旁觀者的視覺來理解這首歌的用意，不妨也可以將這首歌看作是小女生的一次「戀愛預習」，唱到最後如果能領會「找個人值得我，不斷愛，無用怕熱戀，會刪改，更懂愛」的道理，是不是至少能讓人以後愛得更心裏有數一些？

Chantel唱出了這首歌該有的單純和失落情緒，展現的是一個十幾歲女生領會戀愛真相之後的內心獨白。作為當時在比賽中進步最明顯的一位學員，她一直都將導師教給她的東西吸收消化得很好，感受力和理解力都是毋庸置疑的。在理解和感情到位的前提下，演唱上一些輕微的瑕疵反而像極了小女生對於愛情的「牙牙學語」，正以自己有限的見聞與修辭來詮釋對愛最真誠的理解。雖然唱功還有很大的進步空間，但這樣稍顯稚嫩的唱腔也正好很適合用於表達這首歌的主題。作為聽眾，我想我們不用着急，就儘管好好感受這種最真實的情緒便好。就如Johnny Yim所說：「我認為佢唱歌係應該咁樣，冇修飾，全真實，做返一個十四歲唱歌嘅聲音，Chantel天真無邪的現在要好好記錄」。

09 浠彤

「成為微風吧 飄飄下 去做微風吧

遊離鬧市 穿梭多優雅 」

尼格羅尼

作曲
浠彤

填詞
羅曉桐

編曲
Tomy Ho

監製
Tomy Ho / 麥鏇璧

ISSUE 2021

Written by man 仔

不少廣東歌裏都會提及到酒，也不乏直接用酒名來命名的作品，如 Eason 的《龍舌蘭》、張敬軒的《Old Fashioned》、鄭秀文的《Tequila 一杯》等。

二〇二一年七月，這個陣型裏又多了一首叫《尼格羅尼》的作品。它由一位叫浠彤 Heitung 的女歌手所演繹，網上關於這位歌手的資料近乎為零，她的臉書上也只簡單介紹自己是唱作人、鍵琴手和主持人，她沒有固定的唱片公司，二〇二〇年至今只發佈了三首原創歌曲，但這也不妨礙我們去認識這一首《尼格羅尼》。

對酒有一定了解的朋友一眼便能看出，這歌名源於一款經典的意大利雞尾酒Negroni，由氈酒、威末酒和金巴利組成，其最特別的地方就在於會用橙皮作為點綴，使這杯烈酒披上了橙味的幽香。

據浠彤本人介紹，歌曲的靈感來源於某晚她在酒吧裏結束表演後，遇見了一位金髮女子獨自坐在角落，喝一口酒、吸一口煙、再流一滴淚，整個畫面既唏噓又淒美。這個場景激發了浠彤創作的慾望，於是她回家後便寫下了這首歌，試圖通過一杯酒的意象來還原當時那位女子的所思所想，以及整個故事發生時的現場感和氛圍感。

後來浠彤採訪了許多位不同的調酒師，多數人都認為Negroni這款雞尾酒集橙皮的酸、威末酒的甜、金巴利的苦和氈酒的辣於一身，最能代表人的一生，五味雜陳，百感交集，因此浠彤便決定以《尼格羅尼》來命名自己的第二首原創作品。

「風花雪月跌進暗光，香橙氣味鑽進靈魂盡處，掀起撩動序幕」，尤其喜歡這首歌在開篇對氛圍的細節描述，特別是「跌進」、「鑽進」、「掀起」這組擬人動詞，用得十分準確且栩栩如生。

雖然整首歌沒有出現任何人稱，卻不妨礙聽眾稍不留神就墜入歌中，彷如正在酒吧獨自喝一杯Negroni，邊閉眼品嚐口中的酒，邊在腦海裏放映着自己的人生片段，隨着酒的口感層次不斷變化，時而苦澀時而甘甜，有時亦會「像火燙味蕾燒滾我心」，每一口我們都「盼望時間暫停」片刻，讓我們能夠認真回味。

而隨着酒在口腔裏散發完各種層次的味道，我們也終於要盡情將它一口接一口地往胃裏吞下，這個吞的動作又如是在跟自己過往的人生經歷道別，然後告誡自己可以「繼續放任，帶着悔恨，歷經變幻無息的每天」。就這樣，從喝進嘴裏到吞進胃裏，從閉眼沉浸到睜眼看清，我們完成了一次又一次的自我對話。

一杯尼格羅尼，足以讓我們「嘗盡風光跌宕」。下次到訪酒吧，不妨也點一杯品味一番。

10 張蔓莎

「來去的切磋 動態一致 通過
不用再納懦 I'll just be yours」

剎那的

作曲
張蔓莎

填詞
張蔓莎 / 鍾說

編曲
hirsk

監製
hirsk

ISSUE 2022

Written by Recole

「I Like Being Yours」。這樣的一句表白，直白、簡單、溫柔而又霸道，比「我愛你」來得更乾脆利落。想讓你知道，這就是我想要成為的，不藏不掖，令人覺得純粹、真誠。

與很多樂迷一樣，初聽到這首《剎那的》時，我也曾不自覺地將它定義為《深夜浪漫》2.0，類似的夢幻慵懶曲風及近乎一樣的音色唱腔，如果沒有留意到歌名旁邊標注的「張蔓莎」，一不小心便會誤以為這真的就是Gigi張蔓姿的《深夜浪漫》續集。

然而從後來張蔓莎在訪問中的分享得知，其實這首歌早在二〇一五年就已經完成了demo，歌名便是副歌中的那句「I Like Being Yours」。直至決定入行當歌手時，她才再從自己過去的芸芸創作中選中這首，並找來鍾説幫忙修改歌詞，使其更貼近當下這刻自己的想法。

與姊姊Gigi一樣在二〇一四年開始從事幕前工作的Sabrina張蔓莎，最初只活躍於模特兒及演員相關的工作。參與過林奕匡、吳業坤等歌曲MV及Viu TV的《身後事務所》《教束》《IT狗》等多套劇集的演出後，她漸漸開始進入觀眾的視線。因為有着「雙胞胎」的特殊身份，Sabrina也常常與姊姊以連體姿態出現在幕前，而很多不熟識她們的人都需要靠髮型和衣着來辨認她們。雖然兩姊妹樣貌酷似，但二人身上有着相似卻不完全一樣的性格及氣質，常常讓人覺得奇妙又有趣，不禁想分別從她們各自的作品中瞭解更多。

如果將《剎那的》整首歌再細細聽多幾遍，不難發現雖然與《深夜浪漫》一樣是講關於曖昧的題材，但兩人的態度相似之餘其實又不太一樣。比起Gigi的「借意」試探，Sabrina的表現則更為活潑大方和天馬行空。在與曖昧對象的關係更進一步之前，莎莎已經先行在腦內補充了一齣「戲劇主線」，只要男主角一加入，就可將當中的情節「串成一線」。

前奏處夢幻的電子音效像是將人置身於一片浪漫銀河，戴上耳機，感受音符躍動在耳邊，戀愛的氣氛開始逐漸包圍聽眾。而後人聲伴隨着電吉他逐步地「試探前行」，頗有種做足了暗示之餘又不敢輕舉妄動的味道，忐忑而又充滿幻想。

我自然是從頭到尾都想要與你相見的，心中早已自我設定了很多對白與情節，早就默默地演練多次，只等你出現來為這「逐隻字逐句話解碼」，「I like being yours，I like being yours」。心意早已準備好隨時脫口而出，你會否早點出現將我裝作滿不在乎的姿態揭穿？在一輪又一輪的來回探戈後，心跳隨着旋律開始變得急促，甚至逐漸失常，焦急地想要得到答覆，不自覺反覆念叨着「Want your love，Want your love」。

曖昧是兩個人之間一種「來去的切磋」。當我退後的時候，如果你願意往前一步，我也將跟隨着節拍配合你之後的舞步，與你浪漫地一起跳完這支舞。自然而然地，I'll just be yours.

11 雲浩影

「不確定旅程沿途難免驚險　永遠在探險」

願望之翼

作曲
徐偉賢

填詞
林若寧

編曲
蘇道哲

監製
蘇道哲

ISSUE 2022

Written by Zero

雲浩影，很美的一個名字，帶些許遼闊，卻又渺渺茫茫的意境，而她本人，也是一位可愛的如雲一般氣質乾淨的女孩子。

從《全民造星三》獲得第四名出道的雲浩影，聲音就如同名字一般柔和飄然，似雲之影一般溫柔和藹——不似光滑的水，而如綿綿的雲飄遊着，帶着蓬松的毛邊質感。而這首《願望之翼》於二〇二二年四月正式發行，是她出道後的首支單曲，亦表達了她的某些心境與對自己踏入這個行業的一些期望與勇氣。

「Wing of desire」是這首歌的英文名，其實我一開始很好奇為甚麼不用「wish」或者「hope」之類的詞語，而用 desire，後來一想，或許也是要為着強調那願望的強烈吧。

這首歌由林若寧作詞，徐偉賢作曲，曲調清新、流淌，前奏以鋼琴帶出，將意境襯托得格外安靜自然。在 MV 中，Cloud 走在森林中、海洋邊，綠與藍，乾淨而明朗，美不勝收。

我本身對於林若寧的填詞是有更多期待的，他的詞風本如小橋流水，精緻柔美，含蓄而又婉轉動人。可惜《願望之翼》的語句卻有些零碎，若能更貼曲寫出雲淡風輕、心情堅定之感，這首歌應該會更好吧。但即使如此，這次的歌詞也是漂亮的，娓娓道來，有一種清澈的爽然。

Cloud 在歌中細細講述着自己從膽怯地「走出溫室」，到在「懸崖邊觀看」「雲圖」與「浮沉」，最後，終於從「籠內鳥」變了心生出「翅膀」奔向前路的心路歷程。這首歌似乎也是一種對自己的祝福與期望，在這個起點的位置，雖要學着擁抱不安，但仍大步向前，不畏前方跌宕。其實，剛出道的忐忑，想來大家應該都很能體會，尤其在這個競爭愈來愈激烈的環境下。

再者，雲浩影的聲音在眾多新生代的女歌手中，仍然算是很有自己特色的，那種內含包容的溫柔，如雲一般松軟純白。此前，她翻唱呂爵安的《小諧星》，也是清澈溫柔，減淡了卑微，多了些坦然，很有些自己的味道，雖說唱功與感情表達不算爐火純青，但依然可圈可點。

乘着願望之翼，簡簡單單地出發，總會飛到想去的地方吧。

CHAPTER THREE

CANTOPOP

per se

SENZA A Cappella

MIRROR

ERROR

組合篇
GROUP SINGERS

山街

C $oHo & KidNey

er Class

COLLAR

01 per se

PER SE

「如果思念過於頻繁
能否交換角色慨嘆」

無門

作曲
per se
填詞
王樂儀
編曲
per se
監製
謝國維 / Stephen Mok @ per se

ISSUE 2021

Written by man 仔

自二〇一七年起，一支以「詩式流行」定義自己的獨立樂隊 per se 開始在廣東歌樂壇活躍起來。他們由一對情侶 Stephen 和 Sandy 組成，Stephen 負責吉他，Sandy 負責鍵盤，兩人會一起參與演唱的部分。

「per se」一詞源於拉丁語，意為「根本、內在的」，之所以取這個名字是因為他們希望自己的音樂能夠自我解釋，而不以組合名稱來框住創作的風格和界限。

基於這種無邊界的自由風格，per se 的作品涵蓋了英式搖滾、民謠、indie rock、英文歌、廣東歌等多個範疇，而在題材的選取上也會顯得較為新奇怪誕。因為在他們眼中，寫歌跟生命一樣都需要特別，如果只是just another song，真的很沒意思。

二〇二一年三月，per se發表新作《無門》，歌詞交由多次合作的王樂儀進行填寫，並延續了《無窮》《粉碎糖果屋》《不日之約》以童話故事為靈感的創作脈絡。

想要更好地理解per se的作品，我們往往先要從取材的童話故事入手。

這首歌曲以法國民間故事《藍鬍子》為藍本，故事講述了一位與地方貴族新婚的妻子，不聽丈夫藍鬍子臨走前的勸告，擅自打開了城堡裏一扇禁閉之門，發現裏面藏着丈夫前幾任失蹤妻子的屍體，血流滿地慘不忍睹……

有了對故事背景的認知，便能大致理解歌詞所寫。

誠誠懇懇安守本分的妻子本能夠一直幸福地生活下去，為何硬要「偷窺可怕的暗角」，令自己陷入困境？雖然故事結局略帶血腥和恐怖，但 per se 是想藉作品與大家探討「求知慾」與「好奇心」的問題。當眾說紛紜在討論藍鬍子殺害前妻之時，這位妻子卻願意以身試險嫁給他；當藍鬍子千叮萬囑不能踏足小房間時，她還是要突破禁忌，擰開房門一探究竟，這種種表現都是她強烈的求知慾和好奇心所致。

哲學家亞里士多德在《形而上學》一書中開宗明義地指出「求知是人類的本性（All men by nature desire to know）」。要是缺乏求知慾和好奇心，一直安於 comfort zone，人類文明大概就不可能一直流傳至今。

就算「前頭根本不透光」，就算「前頭只得冰凍的雪國」，哪怕「滿身有血如駭浪」，也無法阻止人類拓荒和探索未知的腳步。

「懷疑無甚麼黑房，懷疑無門可鎖，原來門前的只有我不敢跨出更多。」

儘管歷史長河裏也有不少「好奇心殺死貓」的案例，令我們在求知求變的過程中，面臨不少糾結和掙扎。明明能「安於烏托邦」，究竟應不應該去偷窺未知的暗角，而迎接的未知是好還是壞？顯然，答案沒有人能夠預知，唯有去闖去試。

其實在我們周圍，到處都可以是門，每道門代表一個新知識，一條新出路，只是我們的好奇心和求知慾足不足以驅動我們克服一定恐懼去打開它。per se 的《無門》大概是想提醒聽眾，鎖住我們的並不是門，而是我們自己。

閃念

作曲
per se
填詞
鍾說
編曲
per se
監製
per se

ISSUE 2022

Written by Clover

成軍十年的per se在先後推出EP《per se》和《Conundrum》後，於二〇一七年與唱片公司簽約，正式出道成為全職音樂人。其後大碟概念越趨完整，均透過音樂把他們想討論的話題呈現了出來。如《ends》以不同關係或狀態探討「完結」是否只有負面的面向；《Ripples, reflections and everything in between》則探討「時間」的意義；二〇二一年推出的《character / character》以童話角色說人性。

到了二〇二二年四月，per se宣佈創立自組公司

「Dystoland」，寓意在反烏托邦的世界裏尋找屬於自己的快樂。隨即預告接下來專輯概念為「末日」。

假如有一天，我們被告知末日將在十年後來臨，你會作出甚麼反應？新專輯首支派台單曲《竊竊詩》以預言家這個角色作開端，告知末日倒數正式開始。隨着末日越來越近，第二章節《閃念》以人生失敗組為主角——「寫一筆概括這個我，無人似我，懷疑過我，安於黑暗掩蓋我，為何」。這群迷失的人，在末日將至之前還可以努力，仍有資格追夢嗎？

歌曲開端由輕柔的琴聲作引入，以相同的八個音符不斷重複，像是訴說這群失意的人在這個循環裏一直走不出去。日復一日，年復一年，在重複的軌跡裏徘徊，在迴轉之間又轉到起點。在末日面前，是擺爛還是積極，是懷着「距離末日還有十年」還是「只剩十年」的心態面對每一天呢？

「殘存一刻，要相信嗎？昂然一刻，會等到嗎」？在不懂如何自處的時候一瞬閃念，不過是多走一步作出微小的改變，或許便能找到繼續活下去的意義和動力。哪怕未來滿是荊棘，選擇積極的心態回應未知，不至於能拯救世界，但卻能拯救自己。這一刻的閃念足以在「盼咫尺間，送我一步變化」。

歌曲快要結束時，per se 用旋律留下了密碼。開端重複的八個音符只剩下七個，意味着這群迷失的人經過一輪掙扎走出了循環。哪怕故事所設定的十年末日倒數還在繼續，per se 仍希望能透過音樂為聽歌者帶來「絕望中的希望，哀愁中的快樂」。不用太多，一絲足矣。

02 SENZA A Cappella

「記得青春總叫一切更顛簸

記得顛簸裏面未來在吻我」

四分鐘

作曲
伍卓賢

填詞
周耀輝 / 王樂儀

編曲
羅朗翹 @ SENZA

監製
伍卓賢 / SENZA

ISSUE 2018

Written by Lesley

SENZA A Cappella是由來自香港浸會大學不同專業的同學於二〇〇九年成立的無伴奏合唱組合，旨在以不同類型的樂曲向社會推廣無伴奏合唱。A Cappella一詞本身就是無伴奏合唱的意思，組合名中的「SENZA」在義大利語中亦解作「沒有」，再次強調了這一種特殊的音樂形式。

而作為SENZA A Cappella成團後的第一首派台單曲，《四分鐘》亦有着特殊的故事背景。這首歌靈感來自於一個社會實驗，實驗對象包括情人、家人、朋友，結果發現他們都會在對視四分鐘後流淚。參與實驗的人有些覺得新奇，有些覺得遲疑或者不解，可是四分鐘的對視之內，平靜如潮水往上漫，變成淚水流出來。他們說，這些感受「都源自於一份感動」。打動你的，僅僅是對視裏的四分鐘嗎？

如果你和你的情人對視，其實那一張臉你自詡熟到不能再熟，但是你依然會發現一些平日從未注意的細節。眼睛的形狀；被擋住的一顆淺淺的痣；或者你會突然發現，對方的眼鏡因為常年使用，某處有了一些磨損。

如果你和父母對視，雖然從前大家都愛在作文裏寫「父愛深沉如山，父親那山一般堅厚的後背……」和「母親眼角和額頭竟然泛起成片的細紋，從前的滿頭黑髮也不知不覺摻了銀白的痕跡」。但是寫歸寫，你又何時真正認真看過你父母的模樣呢？對視時你發現他們某一處又生了斑、長了紋，這才是你實實在在看到的。

如果你和你的朋友對視，大多數人心裏都明白，這一生中哪來和朋友對視四分鐘的時刻？於是朋友的這張臉便是熟悉又陌生的。你盯着朋友的眼睛，從眼睛到眼神的餘光，發現朋友面部的每一個細節，這個過程竟然像發現新大陸。

若是愛侶，你們可能會想起第一次約會那一支雲呢拿味的雪糕，你們可能會想起某年對方生日時，糊在兩個人臉上的奶油，還有在一起三年後的某一次吵架和昨晚為了減肥一起吃的一碗沙律。

若是和孩子對視，你們也許會想起孩子第一次遠行讀書時在機場分別的場景，會想起無數次爭吵的痛苦，也會想起無數次和好的溫馨。

若是老友，你們也許會想起那些細碎的片段拼湊出的熟識的歲月，會想起無數故事嵌進了無數相知的時刻。也許聊天紀錄裏也曾有過大段空白，但是只要有人說話，總會有人回應。

你們相互凝視。不用懼怕在對方面前流淚，不用因為流淚而匆忙掩飾。在這四分鐘裏，一開始你們也許因為些許的尷尬而笑場，但一旦你們重新描摹對方的模樣、回憶經年歲月中的點滴，然後就會真正意識到，即使彼此仍有畏懼，即使在社會中不得不戴著面具彳亍，即使有脆弱、有黑暗，你們仍有彼此，有無所畏懼的時刻，有靈魂最本真的一面，有相聚，有美麗，有光明。

我一伸手抱住我

作曲
馮穎琪

填詞
周耀輝

編曲
梁斯沅 / 羅朗翹 @ SENZA

監製
SENZA

ISSUE 2020

Written by Clover

《我一伸手抱住我》是SENZA A Cappella繼《四分鐘》後的第二首派台作品。歌曲有馮穎琪Vicky溫婉悠長的旋律和周耀輝溫暖有力的歌詞，再配以Miri的女高音、Peace的女低音、Calvert的男高音及人聲敲擊、Dennis的男中音和King的男低音，五把不同聲部的人聲演繹，為這首歌帶來了一份令人難以抗拒的溫柔力量。

這幾年大家過得不易。已經數不清有多少個晚上是看着新聞紅了眼眶輾轉入眠的，也忘記了過了多少個躲在家中不敢外出的日子，還有那些相隔異地無法相見的念掛，以及聚會、活動、音樂會和演唱會被取消的失落。難過、悲傷、痛心、憤怒、不解、質疑、無力……這些負面的情緒囤積在自己身上，越來越沉重，不知道可以怎麼去面對。於是，我們選擇逃避。

「如常來拼搏，如常奔波，還覺得討厭我。如常來瞓覺，如常天光，還覺得走向滅亡」。裝作這個世界一切正常，若無其事如常地過，其實更難過。在經歷低潮的時候，遇上了《我一伸手抱住我》。這是一首和自己對話的歌曲，溫柔地在耳邊唱着「告訴自己，撐得過別驚慌」，聽着聽着，便有了面對傷痛的勇氣。

「我一出生敢赤裸，我一伸手抱住我」是多麼有力的一句。我們赤裸地來到這個世界，亦會赤裸地離開這個世界。但當我們有意識地活着之時，總是被很多形形色色的東西遮掩了真實的自己。試着撕下這個被加工過的自己，看一看、聽一聽、抱一抱這個赤裸又真實的自己。It's okay to not be okay，「世界太黑，可信面前有光線」，容許自己不 okay，但也要相信不 okay 的事會過去。

歌曲剛推出的時候，看到導演麥曦茵分享這首歌時這樣寫道：「最近啊，聽說嬰兒出生的時候，皮膚從浸浴在羊水到接觸空氣的瞬間，會感到撕裂般的疼痛。我在想，大概在我們尚沒有記憶的時候，可能早已承受過難以承受的痛楚，可能，繼續存在這件事本身，比想像中還要勇敢。」其實，我們都比自己想象中還要來得強大，所以請繼續勇敢，繼續存在，才能等到心裏盼望的東西。

難過，到這裏就好了。「記得顛簸裏面，未來在吻我」，伸手，擁抱過軟弱的自己，才能擁抱堅強的自己。

03
MIRROR

「如不安伴你經過便能硬朗

We are one and all 從不分你跟我」

One and All

作曲
吳林峰

填詞
T-Rexx

編曲
Ariel Lai @emp

監製
Edward Chan

ISSUE 2020

Written by Clover

每當聽到《One and All》的前奏時，腦海就會閃過 MIRROR 十二位男孩從初初參加選秀節目一路到現在風頭一時無兩的種種畫面。這首歌是紀念 MIRROR 成軍兩週年的作品，是唱給樂迷的歌，更是唱給他們之間那份兄弟情誼的歌。

在《全民造星》第一季總決賽結束短短二十天後，MIRROR 便正式出道了。團名的寓意是鏡子可以反映成員各自最真實的面貌。同時，如果鏡子多於一塊，就可以反射很多或無限的可能性，以此比喻每位成員的獨立和獨特，匯聚成團隊就可創造無限可能之意。「一起相聚，一起鬥咀，一起經歷壯舉，到哪裏始終你我緊隨」，屬於 MIRROR 的奇妙之旅就此開始。

我並不是一開始便緊貼鏡仔動向的忠實鏡粉，但看到身邊越來越多人喜歡他們，看到他們身上散發着的青春熱血和努力，不禁會愈來愈留意他們的發展。他們擁有龐大的後援團，更是掀起了香港久違的追星熱潮。而最令人感動的是 MIRROR 的出現成功地令近年不那麼關注廣東歌、本地娛樂的大眾，也漸漸將注意力放回本土娛樂。這絕對不是一件易事，但 MIRROR 做到了。

後來透過《調教你 MIRROR》這個真人騷節目，我們有機會很好地認識到他們在音樂戲劇外更為真實的一面。十二個不同背景和性格的男孩走到一起，在工作和日常相處中出現矛盾是再正常不過的事。在他們的「ONE & ALL」LIVE 二〇二一前夕，公司情願減少他們排練的時間也要安排他們接受「調教」，也許是希望他們真實地面對自己及隊友的同時，也找到男團間最重要的力量——團結。

「沿途高低伴我走過，同考驗與消磨，假使我，難受過，你看透我竟比我多。」

節目中，他們透過汗水、淚水、擁抱和諒解冰釋了前嫌。通過真誠的對話讓觀眾感受到他們投放在「MIRROR」當中的情感。十二個人走到一起不容易，更不容易的是為了成為更好的團隊，願意將自己身上的棱角磨平，保護好MIRROR。對他們和支持者而言，沒有甚麼比MIRROR可以一直走下去來得更重要了。

「We are one and all，從不只我一個」，「We are one and all，從不分你跟我」。希望「大家好，我哋係MIRROR」這句鏗鏘有力的團隊介紹能讓觀眾多聽三年、十年甚至是三十年。

Innerspace

作曲

紀佳松 Jeremy G (Future Sound) /
Lee Joohyong (MonoTree) / Jhen F(Future Sound)

填詞

小克 / Rap：盧瀚霆

編曲

紀佳松 Jeremy G (Future Sound) / Ariel Lai@emp / Edward Chan

監製

Edward Chan

ISSUE 2022

Written by Lesley

我想大概沒有香港樂迷未聽說過 MIRROR 這支樂隊。雖然聽過及寫過《E 先生 連環不幸事件》《Dear My Friend,》等等出自 MIRROR 成員的單曲樂評，但我對於 MIRROR 這個組合的作品卻並沒有那麼如數家珍。由《一秒間》至《WE ARE》，和個人單曲流行的抒情風格不同，MIRROR 的團隊作品大多以快歌舞曲為主，題材亦多聚焦在自身的含義與表達。

早些年的那些關於香港樂壇已逐漸暗淡的言語並非傳言，有報導曾指香港年輕一代更傾向於

K-POP、J-POP 等音樂文化，對於本土歌曲知之甚少；同時活躍於香港樂壇的歌手們亦不知不覺由三十代邁入四十代，而年輕一代的本土歌手尚未成熟。讓人欣慰地是 MIRROR 接過了這一棒，並於出道三年內創造了香港音樂的新世紀，在經歷了熱度空前的二〇二一年後，MIRROR 從頭回顧自己的成長歷程，企圖傾聽自己內在的聲音。

《Innerspace》是 MIRROR 於二〇二二年發佈的第一首團歌。在關於作品的專訪中成員們分享了這首歌的幕後故事，比如在水池佈景裏跳舞難度超乎大家想像，又如姜濤說自己很想嘗試 Rap，Anson Lo 亦很快應承他，交給他一份 Rap 詞讓他嘗試。而比幕後故事更重要的是這首歌裏呈現了 MIRROR 的成員們正在思考和想要表達的。Anson Kong 在採訪裏說無論是隊內還是和其他歌手，MIRROR 成員都免不了常常被比較，「但最需要的是和自己比較，戰勝昨日的自己。」所以探索自己內心世界亦是一件十分重要的事情，成員們也在這幾年成長了許多，Anson Lo 說自己逐漸敢和家人傾訴自己所有的情感和煩惱，Ian 和大表哥則說大家開始嘗試新的表演和藝術風格，以「探索」的心態面對挑戰。

回到童年的動漫世界，以最童真的方式潛入自己的內在世界，觀察自己每秒生命的軌跡，窺探自我難以表達的秘密。探索過自我，才能更加珍惜當下的每一步，再向前邁進，送你一場驚喜，送你「滿屋煙花」，或「以閃光燈在地球大作戰」。

由四年前的《全民造星 II》變成今天的 MIRROR 並非一帆風順，成團初期的 MIRROR 亦曾面對爭議或被人感歎「生不逢時」，但 MIRROR 的成員們或從電視劇或從單曲中嶄露頭角，直至在二〇二一年終於迎來聚焦熱潮，等到「門縫已開，黑雲散開」。歡迎來到 MIRROR 的奇妙小宇宙，同他們一起探索和發掘這個世界的秘密。

04 ERROR

ERROR

「四歸一 超高質最究極

最佳出品 四位精英」

我們不碎

作曲
謝浩文

填詞
周耀輝

編曲
謝浩文

監製
謝浩文

ISSUE 2019

Written by Clover

自稱為「宇宙天團」的ERROR不如團名那般出錯。組合成員由肥仔、阿Dee、193和保錡四人組成，各有才華之餘亦充滿幽默和綜藝感，是香港近年來少見的搞笑組合。以參加二〇一八年由ViuTV舉辦的第一季《全民造星》為契機，在經理人花姐的特別安排下，四位各有特色努力追夢的男孩組成ERROR，正式出道。

出道四年時間能取得現在的成績不容易，但他們成軍的前兩年更不容易。在出席一個活動的時候，花姐曾以「乞食」來形容

ERROR出道頭兩年的狀況。直到二〇二一年五月播出的《ERROR自肥企画》成為了那段時間討論度極高的綜藝節目後，ERROR才讓更多人認識，而我們亦透過節目看到這四位大男孩「騎呢搞笑」以外的一面——真實貼地。

節目完結後，ERROR及無制限OT編集團所帶來的感動依舊縈繞着，讓我們自然而然地想起他們二〇一九年推出的《我們不碎》。這是ERROR發佈《殺死我的經理人》和《我冇嘢撈》過後，第一首讓人感覺正經的歌曲。肥仔表示：「在收到《我們不碎》這首歌時，我們都誤會了歌名叫《我們不帥》！以為那麼直接批評我們不帥嗎？自此之後『我們很帥』這個概念就一直都在我們腦海中」，繼而有了下一首派台作品《我們很帥》。

ERROR離粉絲的距離很近。他們與傳統偶像組合不盡相同，既不帥亦沒有標準審美下的身材，唱功、舞姿及台風都還有進步空間，但他們身上這些不完美的「錯誤」讓我們看到即使再普通不過的素人，只要懷着擊不碎的夢肯努力便能發光發亮的精神。

《我們不碎》舒服輕快的旋律配上填詞人周耀輝有溫度的歌詞，聽畢能讓人忘卻一些無力感，再拾回一些前進的動力。「不碎」是耀輝的文字遊戲，幽默巧妙地讓人想起ERROR不帥的形象又讓人想起他們一路走來，在有限的資源下堅持創作那份不碎的決心。

「同在世界塌下裏，見證我們繼續不碎也是萬歲」，儘管這個崩壞的時代正在龜裂正在塌下，遇到困難的時候，還有一群人不管環境多惡劣，狀況多崩壞，依舊抓緊不被擊碎的信念堅持自己所想所信。

致一直還在堅持的人：無論遇上多少粉碎，也永遠不碎。

Written by Lesley

在ERROR的許多作品中猶豫很久，最後選擇了這首出自「埋班作業」的《緊箍咒》。

「埋班作業」是一項在香港特別行政區政府「創意香港」資助下舉辦的音樂創作及製作人才培育計劃，旨在為新一代香港音樂人提供指導和創作經驗，並藉此推廣香港音樂產業。不少知名音樂人都參與過「埋班作業」的評審或創作，如周耀輝、馮穎琪、Edward Chan等。參加比賽的創作者們會在指導老師的帶領下，將創作出的作品製作成原創歌曲，交由歌手演唱後再參與最後的評審。

這一首《緊箍咒》就是誕生於首屆「埋班作樂」的作品之一，這首歌由導師 Edward Chan 監製、詩詞作詞、組合 ERROR 演唱、參賽者 Vince Fan 作曲、Y.Siu 編曲。從短短一分四十三秒的創作者感想的影片中，我們看到 ERROR 四人同監製 Edward Chan 和兩位新人創作者一起分享關於這首歌的創作心得，ERROR 四人顯得錄音室狹小無比，但也因此熱鬧而緊密。

和很多歌曲的創作不同，《緊箍咒》題材和概念並不是脱離歌手的。在採訪中 Vince Fan 説這首參加「埋班作樂」新人作曲和編曲的歌，其實是在同 ERROR 見面后，憑藉着創作者與演繹者之間的心靈感應和大家的想法創作出的作品。

其實提起「緊箍咒」，最先想起的是很早以前聽過的麥浚龍的《金剛圈》：以古老的故事寫情愛似乎夠不着佛法亦不夠深刻，但句句都透着一種澀味，讓人明白情愛也是一種輪迴。比起情愛，《緊箍咒》的題材更通俗而貼近生活，不像命運那麼深奧，ERROR 的「緊箍咒」是了無生趣的倒數日，是被生活瑣事和工作填滿的苦悶，是年輕人普遍經歷的過於安定而再無探索的歷劫般「西遊」生活，是別人居高臨下對你說「為了你好」。

沒有用生僻的詞彙或哲學講一些大道理以連接歌詞和佛學，創作者十分直白地採用了一段念經的音軌作為《緊箍咒》的前奏，但又不是那種平時寺廟裏聽到的緩慢節奏。配合着打擊樂的重拍和強弱，背景裏的經文像住持唱起了 Rap，是衝破「緊箍咒」的叛逆。

總會有人衝破日常平凡又百無聊賴的生活，去挑戰為你鋪「路」的人，跟着 ERROR 的歌聲聽到這裏，也該到他們唱出「命運就是旅遊，傲慢地習慣激流」的時候了；去探索自己的前路，向西天遠行衝破「緊箍咒」，然後越行越遠，「探索月球」。

＊關於「埋班作樂」介紹參考自「埋班作樂」官方網站。

05 石山街

「要創世界新生態 不需要賣力扮乖
正經最壞　忘我創新的氣派」

暗戀家

作曲
Marstn /Yeung Tung

填詞
韋銳 /Yeung Tung

編曲
石山街

監製
石山街 / Morphy

ISSUE 2021

Written by Zero

石山街，隸屬於環球旗下，於二〇二一年出道。電子、獨立、現代的藝術風格，都是這支樂隊不能忽略的標籤與特徵。作為一支擁有先鋒風格的唱作組合，就算歸類到新一代的樂隊裏，也算是非常特別的。

《暗戀家》是他們的首支單曲，從「你站在橋上看風景，看風景的人在樓上看你」所體現的環環相扣的思想切入，表達了每個人都可能是配角，又可能是別人心目中的重要人物的觀念。雖說在文字層面，《暗戀家》所表達的概念就已經十分有趣吸引人，但更值得注意的是石山街的音樂風格，男女聲演唱非常和諧地融合，編曲雖然是以獨立電子風格為主，但旋律和整體編排都很容易被聽衆接受。夢幻感非常濃重，律動強，讓人忍不住跟着搖擺。在目前香港以流行音樂為主的大勢下，環球唱片吸納的這一支具有獨立氣質的電子音樂組合，確實是一股有趣的新鮮血液。

值得稱道的還有他們的 MV 以及單曲封面，説實話，雖然香港是一個充斥着現代、後現代藝術的地方，但在音樂中，這種色調體現得非常地少，工業化的傳統編曲，雖然好聽，但始終缺少新意。而石山街在 MV 大量運用類似 Y2K 的視覺風格，拼貼運用各種圖畫，與歌曲的夢幻與不真實感結合，整體呈現出一種非常強烈的後現代與解構主義風格，不管是視覺上還是聽覺上，都帶給聽衆很強的衝擊。

不過，如果要説這首歌有些些不足之處的話，就是雖然概念做得很出彩，但歌詞部分卻始終少了一些點睛之筆，兜兜轉轉，歌詞始終在邊緣繞圈，外圍的東西很精彩，但歌詞中的核心意味卻有些不足。其實，不少獨立音樂樂隊和組合都有這個現象，囿於漂亮的文字表面和整體的工整，少了一點點直入人心的觸動，但對於一隊新人組合來説，在音樂上能有如此漂亮、骨血豐滿的表現已經是非常不錯，風格也是廣東歌中比較少見的。

「暗戀家」這樣一個概念，也是既可愛又暗藏小心思，在同樣的思維下，總有些人有共鳴吧？

另外一提，石山街名字的來歷與二人的相遇也是十分神奇，可以算是具有一些幽默的浪漫色彩吧？兩人在互聯網相識，因為借器材而約在石山街首次見面，於是，這個地名便成為二人共同的名字，隨意之中，好像也有一些命運的意味所在。

也許，兩人都是某種害羞的暗戀家。

先知

作曲
Marstn / Yeung Tung

填詞
鄭敏

編曲
石山街

監製
石山街 / Morphy

ISSUE 2022

Written by Jeekit

一個用第一次見面的地方起名的組合——石山街。

石山街是一隊男女二人組合，由Marstn和楊彤Yeung Tung組成。一開始他們並不認識，某天Yeung Tung察覺Marstn經常在網絡上對她的帖子點讚，通過這樣的溝通途徑，認識了同樣很有音樂才華的他，慢慢地二人就從陌生人變成了網友，從網友變成了朋友。有次Marstn要借用器材，而石山街正是他們選擇作為首次見面的地方，後來便決定用「石山街」作為組合的名字。

石山街在二〇二一年出道，甫出道就拿下了二〇二一年度「叱咤樂壇生力軍組合金獎」，實力不容小覷。二〇二三年三月發佈的單曲《先知》，繼續由二人共同作曲，鄭敏填詞。歌曲在自我決定和宿命安排的吟唱中找尋「本我」的意義，探討怎樣做才是「我」。早已參透一切的先知，是不改的景緻和寫好的史詩，就如歌詞所說的「花一開，早栽種，枯萎那種子」，也許我們的某些特質就已經決定了我們的命運。那麼，我們如何通過手握的鑰匙去打開通過理想世界的大門？

「出生了誰決定誰是我，這一秒來決定誰是我，揀好了誰決定結果，自己主宰麼。」

怎麼打開理想世界的大門我不知道，但石山街確實是打開廣東歌另一種可能性的存在。用獨特的電子音樂配合上富有哲學性的歌詞，聽起來有一種迷離和虛無，用音樂引起更多思考的同時，也增加了歌曲的可聽度和新鮮度。

《先知》這樣意識流的歌曲，如果過分去拆字解讀就未免太掉興致，更多的就讓大家在旋律之中慢慢品味。而想補充一點是，這首歌大部分都很流暢，但三分二十八秒時出現了一段稍微「突兀」的旋律，在我的理解中，人生就像列車，一切都在快速地飛馳，但曲中主角中途卻不顧強大的慣性，努力去跳出既定的框框，可能最後還是跳回原來的軌道，也可能跳到了新生活當中。畢竟我們都有不得不做的選擇題，多問問最真實自我的想法是一個不錯的方法。選擇沒有對錯，大展身手很好，平安是福也不錯。

《先知》中有很多深層次的表達和可供聽眾想像的空間，不知道你在聽這首歌的時候，是否找到了自己想要的答案。

06

MC $oHo & KidNey

MC $oHo & KidNe

「咁係吖嘛

呢個世界唔係淨係得十二個靚仔㗎嘛……

哈哈 至少都十四個啦」

係咁先啦

作曲
鄧東成 EAST CITY

填詞
MC $oHo

編曲
鄧東成 EAST CITY

監製
李一丁

ISSUE 2021

Written by Clover

於二〇二一年正式出道的男子組合 MC $oHo & KidNey，成員由蘇致豪和許賢組成，自中學時期已相識的二人不論在影視還是音樂領域都有着非一般的默契。MC $oHo & KidNey 的組合背景設定為從紐約回流返港的 ABC，以歌手形象出現時他們亦會戴上太陽眼鏡代入這個身份並在說話中夾雜英文詞彙。

以組合身份出道前，蘇致豪和許賢喜歡在影片中加入自己創作的音樂元素，譬如《出門四寶》《黃與紅雨》《狂舞 RAP》等充滿幽默感的音樂。直至第一次進入錄音室錄製歌曲，派台了易記易唱又洗腦的《係咁先啦》後，MC $oHo & KidNey 的音樂開始變得街知巷聞。更誇張的是，歌曲熱播的那段時期，朋友之間互相道別時甚至會直接唱出一句「走先喇係咁先喇，下次再玩吖」。

近年推出的新歌不少以「離留」作為主題，當中飽含着不捨、哀愁、唏噓、希望及祝福等複雜情緒。而 MC $oHo & KidNey 兩位跨界創作者則秉承「認真試下，試下認真」的精神，嘗試以幽默詼諧的方式訴説這個沉重的話題。

歌曲表面上講述派對情景下，一個想先行離開的人的內心活動。歌詞寫實地描述到既怕交通費高昂但一不小心玩到深宵的無奈——「你哋唔明我幾憎搭 N259，而家唔走，飛的都至少兩舊」。在一個訪問中，MC $oHo 介紹這首歌是他的真實經歷，在一次聚會中他多次想先行離去，但最後礙於朋友的壓力不得不留守到最後。好不容易回到家中，又累又氣憤的他便決定要創作一首關於走的歌。

當聽到「要走就要走，要夠膽講出口。要走就要走，搵呢到嘅出口」，又覺得這首歌不單是講述派對去留的內心劇場而已。再到後來把「試當真」那則試映劇場影片看一遍後，便明白了。影片中，KidNey 演繹走了又回來的人，他對 MC $oHo 說「留低喺度，雖然咩都冇我份，但我坐喺度都好似做緊啲嘢咁，起碼比到錯覺自己，我係屬於呢度」。

《係咁先啦》巧妙之處在於它藉着平凡不過的日常聚會作引子，實際是討論移民還是留下這個主題。「走嘅時候有，少少內疚，咪掃咗佢地興，係咪太不近人情。開始反省，我好似有啲明」。作出要走或是留下的決定，都是值得尊重的。決定留下的，那就盡力為這裏出一份力。決定要走的，也無須沉浸在內疚情緒中，更不應該被別人情緒勒索。既然作好決定就堅決一點：「唔好玩？好玩！但都係要走㗎！」

喜歡這首歌，以派對故事輕描淡寫地說着沉重的話題，令分離不至於總是以悲傷的情緒呈現出來。再面對道別之時，就以「走先喇係咁先喇，下次再玩吖」的輕鬆心情和對方笑着說再見，並堅信着在不久的將來，我們會再聚，會再見的。

Black Mirror

作曲
鄧東成 EAST CITY / MC $oHo

填詞
MC $oHo

編曲
鄧東成 EAST CITY

監製
李一丁

ISSUE 2021

Written by man 仔

在「二〇二〇年度叱咤樂壇流行榜頒獎典禮」上，憑藉《全名造星》出道的人氣男團 MIRROR 橫掃八大獎項成為最大贏家。MIRROR 的橫空出世掀起了香港本土範圍內久違、甚至前所未有的追星熱潮，據說他們接拍廣告的數量一度達到香港市場的七成，從娛樂資本的角度看，這次造星計劃無疑是成功的。

當香港人生活的方方面面都被同一班面孔過分滲透與蠶食時，自然便會誕生另一種與主流文化相抵抗的聲音。一向愛搗亂、敢唱反調的「試當真」成員蘇致豪和許賢，組成二人組合 MC $oHo & KidNey，勇當港人「救世主」，通過一首《Black Mirror》來調侃這隊十二人男團。

其實把流行人物放進歌詞裏的做法，在廣東歌壇也並非沒有過，就像古天樂在二十一年前推出的《今期流行》裏，就有這麼一句「今期流行，流行椎名林檎，可惜你是索命鋼琴」，詞人將當時人氣高漲的「新宿系女王」椎名林檎放進了歌中。而這首《Black Mirror》又是另一種新奇玩法，除了歌名外，並未在歌詞中直接出現 MIRROR 的名字，取而代之的是妙用了諧音「咩話」，質問鏡粉「你而家追咩話」，帶有更強烈的諷刺和挑釁味道。

歌曲與英劇《黑鏡》同名，該劇講述隨着社會發展，新科技對社會和人類產生的副作用和影響，電視、電腦、電話無處不在，關掉屏幕後它們就像一面面黑鏡，這與歌曲的觀點和態度也相呼應，算得上是巧妙的一語雙關。

此外，歌曲還將大量 MIRROR 對港人現實生活造成的「負面」影響寫進歌詞裏，「全民造咩話，海港城搞咩話」指的是此前 MIRROR 出席商場活動導致水洩不通的情景；又如「調教你咩話，大叔的咩話」則是調侃 MIRROR 主演的節目《調教你 MIRROR》及人氣劇集作品《大叔的愛》；「地鐵站又係你，巴士站又係你，食晚飯又係你，買電器又係你」更直言不諱地表達對滿大街都是 MIRROR 代言廣告的無奈。

當中更不乏一些針對個別成員作品的挑釁，如「蒙着嘴 Bang Bang Bang Bang」和「咪再惡 o 惡 o 惡 o no no no」是惡搞姜濤的《蒙着嘴説愛你》和盧瀚霆的《Megahit》，可謂十分「唔俾情面」。

但也正因為這首歌夠有態度，敢説真話的同時又風趣幽默，令 MC $oHo & KidNey 繼《係咁先啦》後再次收穫了不俗的成績。當你以為這會激起 MIRROR 和鏡粉的憤怒情緒時，部分鏡粉竟然表示理解。更令人意想不到的是，在「Chill Club 年度推介榜二〇二二」的舞台上，十二位 MIRROR 成員竟然還與這個唱反調的組合同台演出此歌，讓樂迷十分驚喜意外。

在歌曲最後，二人再以一番詼諧對話結束：

KidNey說：「咁係吖嘛，呢個世界唔係淨係得十二個靚仔㗎嘛！」

MC $oHo回覆：「哈哈……至少都十四個啦！」

言下之意就是應該加上他們兩個，難怪鏡粉對他們又愛又恨。

而從一位普通聽眾的立場來看，這次明面上用音樂作品的「宣戰和交鋒」，其實突破了許多界限和想像，令原本「河水不犯井水」的兩個獨立群體，因一首歌產生溝通和交流，也為廣東歌壇點燃了更多的活力，這樣的「高招」其實多試試又無妨。

07 After Class

「一世小半步 成人後眼光比較深奧

環遊地厚天高 成長不要這麼早」

要為今日回憶

作曲
Larry Wong
填詞
林若寧
編曲
Larry Wong
監製
舒文 @Zoo Music

ISSUE 2021

Written by Zero

作為 After Class 的出道曲，《要為今日回憶》的清新少女感，仿佛初夏的涼風，還帶着青草的氣息，讓人心馳神往。

通過 TVB 節目《聲夢傳奇》出道並形成組合，炎明熹 Gigi、姚焯菲 Chantel、鍾柔美 Yumi、詹天文 Windy 四朵小花擦出的火花，大概就是這樣爽朗明媚的少女氛圍吧？

《要為今日回憶》派台後，便登上「勁歌金曲」的勁歌金榜，成為她們的首支冠軍歌，這個起點也算是相當不錯。

本次林若寧與舒文團隊合作創作，看得出詞曲編上都下了功夫，沒有激烈的唱跳，沒有 Rap，只是雀躍地唱着少女的思緒，莫名給人一種夢回 Twins 的感覺，很有當年香港青春流行曲的味道，可愛青春又不失親切之感。也讓很多粉絲期待，TVB 推出這樣一個充滿香港氣質的女團，是否能夠填補這一個市場空缺。

《要為今日回憶》盡顯少女之肆意、大膽，不怕揮霍青春，不怕犯錯跌倒，張揚卻又充滿天真的嬌憨，洋洋散落，彷彿，那種少女意氣能夠永遠保存。

這首歌非常適合正在少女年華的她們，也讓人不禁想起 Twins 曾經的《戀愛大過天》，都是趁着青春年少，毫無顧忌地宣言自己對於世界灑脫可愛、不理後果的想法。

港式的少女青春滋味好像往往帶着一股輕熟感，化一點妝，加一點戀愛遐想，在懷揣着「對於成長的想像與嚮往」之中，囫圇吞棗地體會着人世間的道理與酸甜，也帶着一絲通透、明朗與決絕——無畏於未來之光臨，無畏於變數之莫測。

在這種歌曲組合之中，總覺得詞人、作曲與歌手是在一起成長，一起經歷。在大時代裏，能有閒情關注一些自身的喜怒哀樂，不那麼急躁地生長，也許創作者為少女們作歌，也是在提醒與記錄自己。

「任性」、「胡亂」、「暗戀」、「膚淺」，「憤怒」……這些詞加在一起，活脫脫地一副未經世事的模樣，歌名卻是《要為今日回憶》，頗有一種惋惜感——正因為這些今後一定都會消失，因此才暗下決心，要為今日好好回憶。林若寧的歌詞彷彿為少女們獻上祝福，又彷彿在提醒不要忘了少女時代出發時的心情。

「一世小半步，成人後眼光比較深奧」、「未來太遠，如今好，共你相約好，放任跳舞」。

成人與年少，好像只有一念之差，在不同的角度裏面，是否仍然能夠堅持同樣的信念？未來遠得不可以預告，所以只看當下。以「跳舞」為喻，有許多美麗與自如——在如今的、能夠放任跳舞的日子裏，能共你相約，已是最好。

這首歌就如四人的青春紀念冊，在從比賽畢業後，要去往更廣大的世界。雖說時代已經變遷，但是在這首歌的歌詞曲風中，卻彷彿仍可以窺到往日香港黃金時期的自信與風采。在仍然以唱片公司、創作者為導向的香港唱片業大前提下，不必擔心被市場擊潰，對聽眾來說，也許仍是一種幸事。

要為今日回憶，除了此刻的心情理想，也許還有一份愚蠢和稚嫩，在未來某一天，即使成功，即使成熟，也會記得有一份無懼無畏的灑脫，沒有邊界的勇氣。

08 COLLAR

「期望 會來臨 繼續繼續慶幸 再一起擁抱靈魂」

Never-never Land

作曲
徐繼宗

填詞
鍾說

編曲
T-Ma 馬敬恆 / Tomy Ho

監製
謝國維

ISSUE 2022

Written by Clover

繼《全民造星》第一、二季的全男班選秀和第三季的「藝人再出道」賽制後，《全民造星 IV》以培育久違的港產女團為目標，迎來全女班選拔規則，從公開招募到總決賽，歷經半年的時間，而女團 COLLAR 也於比賽結束後兩星期正式成團。

隨後，在宣佈女團成立的記者會上，網上錄得逾七萬人次收看直播，大眾都迫不及待想知道成員名單。而 COLLAR 的 IG 追蹤人數在出道首日更達二十一萬。看着一則緊接一則帖文發佈每位成員的新造型照，及對第一首單曲的預告，我們便開始感受到這股女團風正浩浩蕩蕩襲來。

最終女團名單由Marf邱彥筒、Gao沈貞巧、Day許軼、Soching蘇芷晴、Candy王家晴、Winka陳泳伽、Ivy蘇雅琳及Sumling李芯駖八位成員組成。團名COLLAR除了與師兄MIRROR及ERROR音調相同易記，亦蘊含了公司對她們的期望：COLLAR一指衫領，第二指鎖骨。代表女團風格多變，亦是連結腦部和心的部分，希望她們的作品讓觀眾能用腦思考，用心感受，每次表演都能夠「Hold Your Breath」。

第一首型格帥氣的自我介紹出道團歌《Call My Name!》發佈後，網上傳來不同的討論聲音。有人讚揚歌曲充滿力量、節奏感強，MV製作精良；同時也有網民直言不知道在唱甚麼，認為歌曲欠缺深度。這個討論亦讓我反思大眾聽歌究竟是為了甚麼？需要深度何不去看書，若想從一首女團自我介紹曲中收穫甚麼大道理未免太貪心了？關於這個問題，《Call My Name!》的填詞人Oscar也在其後為The Hertz填寫的《So Deep!》裏探討了一番。

兩個月後，第二首單曲《Never-never Land》如約而至，歌曲一轉曲風和形象，以輕鬆調皮的風格散發無限青春，展現她們真實的一面。歌曲發佈於二〇二二年三月中旬，當時正值第五波疫情高峰，這首舒服又跳脫的《Never-never Land》希望鼓勵大家從現實世界逃脱，發發白日夢，呼一口氣然後飛奔到夢幻理想國度。

壓力大感到無法呼吸時就「飛到夢裏頭，偶爾放負，偶爾放慢，撲進氣流」，儘管背負着煩惱「想皺眉頭，無所謂」。發發白日夢，想想未來的美好願望或回顧過往快樂回憶，讓開心的念頭和期盼成為我們腦內產生的愉悦畫面，把注意力從現實世界的苦悶中抽離一刻，讓思緒脱離邏輯，天馬行空地肆意遊走。

《Never-never Land》歌曲靈感來自迪士尼角色 Tinker Bell，每當她遇到危機時會積極轉念，把困難當作一場歷險之旅，勇敢擺脱面前困境。正如歌詞所唱「奇遇，要來臨，各就各位靠近，要小心不要自困。期望，也來臨，跳着碎步變陣，敏感可識破巨人」，我們也大可把困難當作奇遇，用像玩遊戲般的心態從容面對，打敗巨人。

在師兄MIRROR的成功光環下，COLLAR甫一出道的關注度和工作機會就比其他新人多，得到的比較和評論自然也多。在愈走愈遠的星途上，希望她們八位在需要時都能飛到這座「Never never Land」，「拆開不安，這念頭，我的心跳更自由」，在喜歡的演藝範疇裏自在做自己，成為不斷突破創新的「世一」港產女團。

CHAPTER FOUR

CANTOPOP

Zpecial

Pandora

The Hertz

樂隊篇

BANDS

01 Zpecial

「人潮如流奇異怪誕城市裏

各有各暢游 各有笑靨或眼淚」

CityBoy

作曲
Zpecial / 賴映彤

填詞
Oscar

編曲
Zpecial / 賴映彤

監製
賴映彤

ISSUE 2019

Written by Recole

提到日本時尚雜誌，在一九七六年由木滑良久創辦的《POPEYE》一定是無法繞過的一本刊物。以「Magazine for city boys」為口號的它，賦予了city boys更為當代且全新的內涵，引領各位城市男孩保持對流行敏銳的觸覺，追求好品味生活的同時，又輕盈地保持着自己的價值觀。

於是我們總能在《POPEYE》裏看到各式各樣的city boys，當中的他們儘管有着不一樣的生活狀態和文化背景，但都是有着自己獨特風格和精神想法的city boys，在偌大的城市中自在愉快地享受人生。

這當中固然有過於理想化的部分，但就與好的音樂作品一樣，它們宣揚一種理想化圖景的同時，也鼓舞了某一部分特定的人，重新思考自己的生活現狀，誠實面對自己。就如香港樂隊 Zpecial 於二〇一九年以「CityBoy」為題創作的音樂作品，除了啟動音樂實驗，同時也為城市注入了不同的聲音，唱出不少城市人的心聲。

如果說雜誌中的 city boys 為我們展示了城市男孩在無拘無束的大城市裏最自在的一面，那麼 Zpecial 的《CityBoy》則是道出了城市男孩浮沉在大城裏迷失的一面。

Zpecial 於二〇〇九年成軍，四位成員「夾 band」八年，直至二〇一七年才憑藉首支派台歌《想》出道，正式加入樂壇做新人，成軍十年才正式推出首張專輯《The Impulse To Travel》。中間雖經歷過成員變動，但這幾位在香港這座城市奮鬥多年的 city boys 都依舊沒有忘記當初成立這支樂隊的初衷：希望能透過分享自己的創作帶給樂迷一種與別不同的感覺，並用屬於他們的搖滾方式，在鬧市中演奏出他們的想法——像樂隊名字「Zpecial」一樣的獨特。

二〇一九年 Zpecial 再踏征途，聯同賴映彤開啟了音樂實驗，打造三首音樂實驗品，《CityBoy》便是當時率先發佈的一首。

歌如其名，不管是旋律、編曲還是歌詞都十分「城市化」，節奏感強而明快，主歌與副歌之間的銜接不拖沓。隨着副歌的進入，節拍愈加強勁，鼓點也更鏗鏘有力。樂器與背後和聲交織，營造出行人在大城市繁忙十字路口穿梭交錯的場景感，彷彿正置身大城市最中央，卻摸不清前進的方向，茫然失措。

表面看來，大城內風光遍布，人潮如流，光影燦爛；我們能在這裏聽到人們談論理想、財富、機會，只要你有雄心壯志，大城市都會為你提供足夠的土壤助你實現。然而與此同時，大城市也有許多不可忽視的問題與誘惑並存着：居高不下的房價、嚴重的霧霾、擁擠不堪的交通、繁重的工作壓力……於是在厭倦了自己當下的城市生活時，也不免會天馬行空地想像：假如有另一個我生活在另一都市中，又會過着怎麼樣的生活？

就如歌中幾個「擠於小港幾千天」的大男孩，他們不甘於每天重複「地鐵中在喘氣」的麻木生活，於是承諾有一天要一起走訪世界各地的大城市，擺脱「小港」的束縛，尋找新天地。直到有一天終於下定決心「遠飛」，才發現不管在哪個城市，「原來亦相當相似」——人們的生活雖不盡相同，卻是一樣地時常難免充滿困惑，「走不出生活畏懼」。

在高樓林立的大都市裏，人們在匆忙中度過一生，各有各的快樂和煩惱；「霓虹柔亮，路燈閃爍」，千百種心情在燈光的映照下看似千篇一律，實則同樣「各有刺痛」。不管是再令人嚮往的洛杉磯、柏林、東京還是札幌……浮沉在這些城市的人們，其實都一樣「盼望活着會安定」。

想通了這點之後，再停下腳步觀察每天從我們身邊經過的每一位路人，他們當中「再別個，十個廿個或更多」，可能也曾與我們「同道走過」，經歷過相似的無奈與不安。但走過浮浮沉沉，面對茫茫前景，每天天一亮，無數城市人依然要選擇生活前行，都只因「原來大家都仰望，為着某顆星」。

深夜告別練習

作曲
Zpecial / 賴映彤

填詞
Oscar

編曲
Zpecial / 賴映彤

監製
賴映彤

ISSUE 2020

Written by Zero

合成器、強鼓點、冷冷的吉他音色渲染出孤獨與空間，配以沙啞嗓音，構成《深夜告別練習》。

Zpecial與賴映彤的合作，加上Oscar作詞，讓這情歌呈現出一派繽紛色彩，跳脫芭樂的藩籬。編曲營造了強烈的故事氛圍，似乎有萬千霓虹於城市中照亮，車流穿梭中，有人獨行於城市中央；又如同穿過隧道，昏黃燈光，有人沉默尋人，各種強烈色彩與顆粒碰撞換位，「我與你似是無限近」，恍惚之中，已不知身在何處。

整首歌的氛圍模糊而浪漫，Zpecial 主音康聰開聲，極為性感的男聲，如同文藝片中男主角的獨白，帶出故事的序章。後來邀請 Gigi 張蔓姿一同演唱 Studio Live，女聲連上，如隔空對話，令人忍不住想要戴上耳機，行於街裏，聽着這樣一首歌，似乎真的會如歌中所唱奇遇某人。

這是怎樣的愛情故事？沉溺而幽暗，月夜之下，黎明之前，彷彿在同一城市中的兩人各自找尋着自己心中的某個人，然而找尋，最終仍然是為了告別，這樣的境遇，最終形成一種合理的矛盾。這個被找尋的，極其抽象的「人」的概念，成為自我滿足的工具。彷彿道出都市男女的情緒遊戲——在被極度感性支配的時分，人們總是不停地尋找、哭笑、告別，不知道目的地在哪裏，在黎明還沒有來到之前，只有迷茫地找尋，以此尋求內心的安慰，然而最終卻無法找到真正的歸處。強烈的鼓點敲擊，如同內心極度的不安定，敲擊神經與感官。

那一句「我與你一刻似是無限近」，這樣的「近」，到底是甚麼。心理的距離，身體的距離，還是幻想中的距離——其實也許都是。大家都單方面地去相信自己已經觸到關係的密碼，又自顧自地傷心起來，進而離別。於是，那距離，似乎有無限近，然而卻相當之遙遠。許多人似乎都陷落在這樣的迷幻狀態中，似乎都是這樣，不計深度地與人交往，只留下浪漫做美名。

然而，都是被自己騙了，被名為「相遇」與「離別」的浪漫概念所欺騙，自我滿足地沉迷於幻想的泡沫之中，孤芳自賞地感受着迷茫與傷感。

深夜，不要練習告別，不要練習尋找，不要練習與陌生人相識，跌跌撞撞中，不要回望，與人同行時，看向自己。

02 Pandora

「到處 有亂流掠過
相擁太揮霍　誰又柔軟我軀殼」

明日旅程

作曲
Tony Huen@Pandora / Anakin Foo@Pandora

填詞
Tony Huen@Pandora / MJ Tam

編曲
Pandora

監製
Pandora/ MJ Tam

ISSUE 2020

Written by Zero

Pandora樂隊，曲風以流行搖滾為主調。在我的心目中，這是一支典型的「好學生」樂團，精心編排的編曲，總是向着光明處的歌詞，少年感滿滿的整體氣質，皆是如此。而這首《明日旅程》則是他們二〇二〇年發佈的作品。

成立於二〇一〇年的Pandora，到現在已有十多個年頭，樂隊現任成員為主音及吉他手禤山河Tony Huen、低音吉他手符肇廷Anakin Foo、鼓手禤玉河Michael Huen三人。樂隊名字意為潘多拉的盒子，一體兩面的名詞，但 Pandora 似乎更傾向於讚頌關於「希望」的那一面，他們的歌也是符合這種「期望」的，聽過，只讓人覺得未來尚可以相信，戀愛仍充滿最開始的可愛。就如同《明日旅程》裏這一句「多苦澀，還是盛開」。

在介紹《明日旅程》的歌與 MV 時，Pandora 將這首歌稱為「給未來的我們」的一支作品，以「一支筆、一部相機、一支結他」來「尋找和記錄香港本土情懷」。歌曲中，爽朗的結他聲以少年聲音做配，清新舒暢，配合着電車、維港、街道，陣陣畫面，鏡頭劃過，似乎要讓人緩緩地看清楚香港的每一寸景緻。馬林巴琴清澈的的聲音，如泉水叮咚，為整體點綴了許多明麗的色彩，於天橋中結束的畫面，也讓人快速閃回許多港產片經典橋段。

若要往明日啟程，也許最重要的東西之一就是往日的記憶、經驗與目標，唯有整理好舊日心情，才能夠真正面對未來，而非停滯不前。面對過去的殘垣敗瓦，在大時代中，仍以少年心情面對，落力向前。主唱解釋道：「其實有時候我們都很迷茫，不知道明天會發生甚麼事，但是，我們都要 keep 住信念，要記得自己只有努力，今天努力了，那明天就一定是無悔的。」

「活着就是覓尋，尋覓那幸福依據」，「來證實在時代裏，也試過一起向前去」，在大時代中，Pandora《明日旅程》以溫柔的音樂和詞句給出一份陪伴的力量，讓人感受到，自己彷彿從來不是孤身一人，這樣的城市聲音，在偌大的鋼筋水泥空間中迴響時，自有一番寧靜與安然存在。

不論明日是怎樣的風景與天氣，期盼都仍能以安定的、滿懷勇氣的心迎面前行，明日旅程，任何時候都可以開始，撿起行囊，開始漫步便好，不必害怕，只管前進。

風月

作曲
Anakin Foo@Pandora

填詞
王樂儀

編曲
Pandora

監製
Pandora/ 舒文 @Zoo Music

ISSUE 2022

Written by Recole

如果要在四季中挑選一個最適合戀愛的季節，我一定提名春天。萬物復甦，風和日暖，春意盎然，大地布滿生機，一切大自然的蠢蠢慾動都似乎在替人們表達着心聲：好想戀愛啊。

老天大概是故意創造這樣一個季節的，懶懶的、愜意的，甚至讓那些平日裏習慣了在城市日夜追趕的人們，也突然增添了些閒情逸致，心甘情願地將野心和鬥志暫時放下，盡情享受春天賜予的溫柔。

可惜由於近幾年反反覆覆的

疫情，這個季節本該有的閒情逸致都逐漸被磨滅。光是生存就變成了一件極難的事，我們都早已忘了肆意揮霍時光的歲月，甚至忘了隨時可與所愛的人好好擁抱是怎麼一回事。

Pandora 正式成為獨立樂隊之後推出的第一首派台作《風月》，唱的完完全全就是這種心情。如他們在電台訪問中所分享，處於這樣的大環境下，他們希望能通過這樣一首「亂世中的情歌」，把這種「渴望陪伴」的心境唱出來。同時，這當中也寄予了他們渴望早日與歌迷「重遇」，一同享受音樂、談談風月的期盼。

過去的他們曾唱過不少極具少年味道的清新甜蜜情歌，這首與新班底合作的作品雖然也可以同樣歸為此類，但比起舊作又多了一種不羈和叛逆，像是終於按捺不住春心，想要放肆大聲告白。「奢求，呼吸掀起的遠方，我要與你收與放」。王樂儀的詞配合旋律收放自如，刻畫出男孩們蠢蠢慾動的心情之餘又有一種自在的灑脱。而在舒文的監製下，主音 Tony 的演繹也顯得更為張弛有度。在一收一放，一呼一吸之間，一段萌芽的愛戀呼之欲出，正待蔓延。

更妙的是，Pandora 旋律裏本身濃烈的少年感與這首歌詞之間形成了一種微妙的落差，「皮膚在偷偷癢着」、「毛孔在偷偷放着」、「順着肌膚的摸索」都是暗藏在男孩心裏躍躍慾試的小頑皮，用這樣一種輕盈歡快的曲調唱出來，更顯得爽朗大方。慾望本就是一件天然純粹的事，順應本心將它釋放，好讓「感官接近宇宙，發現更多」，才能更好地學會享受它帶來的快樂。

尤其是在世界紛亂的當下，「詩和遠方」已逐漸變得罕有奢侈，我們更要學會把對遠方的念想攥得更緊，將其投射給近在咫尺的現實，捉住一切的「目之所及」，讓自己儲備更多的能量與勇氣，抵抗世間浮沉。

而圍繞這個亂世下也能談風月的意念，Pandora 這次特地找來本地動畫師蛋殼意象 eggshellsea 幫他們製作動畫 MV，故事主角用不同形狀呈現，彼此在混沌中遊蕩沮喪，又在紛亂之中遇上，彼此扶持，描繪出「絕望亦能談風月」的畫面。

「捉緊一刻呼喊過」吧，「若痛苦亦能盡慶，亦能吃喝，亦能碰到光」。本不同形狀的我們，四處漂泊，但仍能同途偶遇在這星球上，透過無數連接成為彼此的光，便已是最美的風月。

03 The Hertz

The Hertz

「聽一首歌聽啲乜
請話我知　唔理氣氛 花式詩意」

凡星人

作曲
Marco Leung @ The Hertz / Him Hui @ The Hertz/ Herman @ The Hertz

填詞
Him Hui @ The Hertz

編曲
The Hertz

監製
The Hertz

ISSUE 2020

Written by Clover

很喜歡現時香港樂壇的氣氛，給人一種和睦，共同進步的感覺。有一定資歷的歌手在做好自己音樂之餘，亦不忘把一些新聲音新面孔介紹給聽眾。認識 The Hertz 是源於收聽 C AllStar「四月晚晚九三〇陪你隔離」節目時，陳健安推介的《末日快車》，當時一聽便愛上了，繼而開始留意這支樂隊。

成立於二〇一八年的 The Hertz 由主音 Herman、琴手 Him Hui、結他手 Ricky、低音結他手 Ray 和鼓手 Marco 五位成員組成。五人雖擅長不同的音樂風格，但共同懷着以音樂表達自己，讓其化作語言傳遞訊息的理念走到一起。他們的歌曲及歌詞寫實記錄着他們的所見所聞及想法。大概是因為真實，所以容易和聽眾創造共鳴頻率。

在二〇二〇年推出的第一張 EP《THE HERTZ》中，《凡星人》是其中很能引起我共鳴的作品。在我們的日常觀念中，上一輩忙着賺錢發達，而我們這一輩人要獨特，要追夢才稱得上熱血；要不甘於平凡，朝着宏大的夢想進發才稱得上活得精彩活出意義。而《凡星人》卻在這個急促功利的時代裏告訴你不必逼迫自己和世俗鬥爭，平凡地過活，也可以。

人愈大，愈是覺得被生活壓力和各式各樣的固有準則束縛着。內心盼望能過上「無目的看日落懷舊」，「放空暢遊到盡頭」的生活，卻礙於別人「嫌我天真，嫌我只想瞓，不懂愛世俗鬥爭」的目光，強逼自己活在不合適的生活方式當中。這首歌的宣傳文案當中提及「世界最快樂的國度，人們都過着儉樸的生活，捨棄人與人之間的競逐與鬥爭，平淡真摯地度日。」快樂指數高的國家並不是 GDP 高的國家，名利雙收的人未必快樂，反而看淡世俗爭鬥的人離快樂更近一些。按照自己舒服的方式去生活，夢想再平凡簡單也應該被尊重。沒有誰的人生可以被別人評判為不好或失敗，覺得無悔一生那便是活出生命的意義。

跑累了便慢下來，掉了隊便用自己的速度慢慢到達目的地，不盲從追趕大隊而忘了追隨自己的內心。但求「無悔一生，停泊於小鎮，告別人群無愛恨」，想安穩平凡，簡單地過是個好選擇。知道自己喜歡甚麼，想要怎樣的生活狀態，這樣的滿足與快樂是不需要和別人說明的。

要是覺得「城裏璀璨奪目難受」，就跟着這首富有律動又充滿太空感的歌逃到凡星，肆意做個遠離煩囂，「隨意過日晨」的快樂凡星人。

天堂 100%

作曲
Ray Sze @ The Hertz / Herman @ The Hertz

填詞
Him Hui @ The Hertz

編曲
The Hertz

監製
The Hertz

ISSUE 2021

Written by Zero

「人間今天有我」！勇氣瀟灑宣言，在這一家！

The Hertz成立於二〇一八年，曲風多樣，而且似乎樣樣他們都玩得順手。同時，他們也是一支非常有「樂隊」氣質的樂隊——帶着憤怒與叛逆。作品上，從曲風、填詞到編曲、演唱，都是高度統一，不落俗套的，歌曲的完成度非常高，且有自己的想法與姿態，表達和風格；再者，對於樂隊來説，非常難得的是，沒有非常同質化的作品，每一首歌的編曲細節，你都能感受得到他們的心思和想法。

這一首《天堂 100%》，雖然比起 The Hertz 以往的曲目，流行度增加了不少，但卻仍然沒有完全變成套路，在融合 J-Pop 風味的同時，以酒神「巴克斯」的故事作為出發點，盡顯灑脫之意，也彰顯着無比通透的心境。

酒神巴克斯，是狂歡與放蕩之神，The Hertz 借他之名，希望聽眾可以「痛痛快快」地「唱出難過」，就算天塌下來，都要盡情地過，在半醉半醒中，即使「地上地下醉生夢死去活來過」，也可以盡情度過。何謂「天堂 100%」？大概是如待在雲上，如神仙一般生活？然而最終，我們還是會選擇人間生活吧，即使世間不完美，我們仍可以追求自己心中的完美，即使向往天堂 100%，然而「凡間今需要我」，不再幻想，仍能大方去生活，心態決定着自己身處何處。

「俯瞰，世界美態再崩壞，天塌下來，偏要盡情過」。這首歌的歌詞，多少讓我想到周耀輝的《下流》——「世界再壞，仍舊不怕」，在面對一團狼藉的時候，是否能夠擁有發洩難過的勇氣，是否能夠擁有面對煩囂的力氣？即使世界崩壞下去，依然能夠坦然面對嗎，這首歌中便充滿了這樣的積極態度——它不是單純的勵志與正面，而是在看清楚狼藉後仍然決心嘻嘻哈哈笑對難關的釋然與勇敢。

The Hertz 這支樂隊是非常值得一聽的，除卻這首和他們後期不同音樂風格和題材新穎的新歌外，早期的《末日快車》《阿喪》等收錄於第一張專輯中的歌曲，都充滿着自己的態度與思考，一支好的樂隊，必然如這樣有所傳達，正面與負面都兼顧到，並能用跳出流行的音樂為其賦予骨血。

The Hertz，也許，不需要頻率一致，各種各樣的聲音，也是好音樂。

04 ONE PROMISE

「如何難都捉緊不放手

如何難都等待盡頭」

寂寞的怪獸

作曲
ONE PROMISE

填詞
林若寧

編曲
ONE PROMISE

監製
周錫漢

ISSUE 2020

Written by Recole

有時候，你會不會覺得自己孤獨得像是個怪物？

下着暴雨的深夜，獨自避着雨的你看着街上一對對情侶挽着手蜷縮在傘下，頓覺自己像是個與人群格格不入的怪獸，像快要被逐出這個星球；一個人前往朋友的生日派對，發現老朋友們都不約而同結伴前來，只有你形單隻影，於是也不敢喝醉，因為怕不僅會出盡洋相還無人照顧……

為甚麼只有我注定天生是隻「寂寞的怪獸」？你免不了開始鑽牛角尖，盼望有一個人的出現，能讓你收起觸角。

樂隊 ONE PROMISE 的這首《寂寞的怪獸》，在歌曲裏將自己比作一隻「怪獸」，每當夜幕降臨，愁緒來襲，隨之而來的寂寞感便會將他侵蝕，無從逃脫。

為配合歌曲主題，《寂寞的怪獸》MV 講述一對男女的相遇過程，最初男主角沒有自信，即使遇到喜歡的對象也不敢主動出擊。直到遇上美麗自信的女主角，二人邂逅，一同慶祝生日，故事以一個擁抱告終。

作為 ONE PROMISE 加盟環球後的第三首派台作品，《寂寞的怪獸》同時也是他們的首支冠軍歌。順應近年來樂壇盛行為單曲加推合唱版的趨勢，在獨唱版推出兩個月後，ONE PROMISE 又特意邀請擔任 MV 女主角的佩男共同演繹了一個合唱版，從一隻怪獸升級到一對，嘗試為這個愛情故事帶來新的希望。

在原版的《寂寞的怪獸》中，男主角就宛如一隻沮喪的「怪獸」，堅信「被愛只等於悖論」，注定只能在夢中與愛侶相擁。而在女聲佩男加入後，一隻怪獸變成一對怪獸，雖是各自形單隻影，但兩人望向同一片星空那一刻，竟覺得即便是寂寞感覺，也可以感應相通。

在原詞的基礎上，林若寧重點將第一段主歌稍作改動，先是從一隻寂寞的女怪獸的視覺展開。顯然，這隻「女怪獸」並沒有讓自己消沉太久，而是相信遠處也有某隻像她一樣被眾人漠視的怪獸，終有一天會與她相遇，「一起高飛遠走」。

進入副歌，男聲開始以和音的形式加入，「一樣覺得冰凍」、「同樣感覺空空」、「一樣喪失自信」，像是在一旁輕聲鼓勵女方，她並不是孤單一個。同樣地，在男聲開始傾訴寂寞心聲之時，女生也同樣以和音的形式在「回應」着男方。

有意思的是，因疫情關係，錄製這首歌的時候在香港的 ONE PROMISE 和在澳門的佩男無法碰面錄音和拍攝，因此錄音和 MV 的拍攝都只能分別在兩地「隔空」進行。這樣的形式無獨有偶地也正與歌曲主題相呼應：儘管我們天各一方，但音樂將我們彼此相連，我們都不是孤單一人。

二〇一九年經環球唱片旗下廠牌 Brave Nusic 出道的樂隊 ONE PROMISE，前身為 Empty 樂隊，此前在獨立音樂界打滾十七年的他們中間雖然經歷過成員退隊，但之間感情依舊深厚。藉着簽約唱片公司的契機，他們改名 ONE PROMISE，寓意兄弟之間堅守着一個重要的承諾，重新出發。這首《寂寞的怪獸》，某程度上也像是在唱這麼多年來堅持着音樂夢的他們，一直在等待着知音的應和。

你相信嗎？「縱使月老並未看好」，再怪的人也會有人愛慕。在你抬頭望向星空的這一刻，在未知的某個遠處，也同樣有一個人正仰望着最美星體，盼望着有一天，與你一起，吹春風。

I'll be fine

作曲
ONE PROMISE
填詞
T-Rexx / Rap: Anton@ONE PROMISE
編曲
ONE PROMISE
監製
Joey Tang / 周錫漢

ISSUE 2022

Written by Zero

「I'll be fine.」

很特別地，樂隊ONE PROMISE的這首《I'll be fine》，在編曲上加入了英文Rap詞，令到整首歌給人的感覺和歌名有些相反，明明說「我會好好的」，然而歌中演唱所表達出來的卻是一股掙扎之感。為何要如此表達？

原來，這樣的歌名只是作為一個略有些遙不可及的期望——彷彿一種絕望中的渴求，某種沒有盡頭的盼望，某種沒有退路的、必須要堅強的願望。在沉重的壓力與絕望面前，是否能夠做到「再痛也不可失救」？

二〇二二年初，樂隊鼓手 Anton 因手指骨枯需暫停打鼓這一職責以後，樂隊宣佈轉型為「Pop/Rap Band」路線，而 Anton 亦正式由鼓手轉為 Rapper。轉型後這首《I'll be fine》的出現，似乎也是他們重新出發的一種呼叫。這種 Rap+Rock 的形式，也許不少人會聯想到 Linkin Park，放眼整個香港樂壇，這樣的風格是相對少見的。

作為 ONE PROMISE 在二〇二二的新單曲，要表達的有很多，也許正處於壓抑中的你，能從中感受到更多共鳴。在許多低谷的瞬間，走在路上，聽到這樣一首歌，總讓人覺得說出了自己內心深處的某種糾結與掙扎。

在我的概念中，Rap 非常適合作為一種宣洩情緒的形式存在，不論是生活中的哪一部分，都能透過承載了力量的字句表達自己的情緒。而這首歌的歌詞，從頭到尾充滿了失落情緒。

也許疫情就是某種真實的念頭吧。自進入疫情以來已經有足足兩年多，ONE PROMISE直言，正是因為疫情帶來了許多的壓抑，他們才想要對未來發出些期待和正面能量。然而，在漫長的沒有盡頭的等待中，這種「fine」也許正是一種壓抑着的期望。在無能為力的天災面前，如何才能保持期望，不被最難過的時刻擊垮，繼續通往有可能是光明的未來。

不過，在最艱難的時候堅持下去，也許已經是我們唯一能做的和應該做的。在無數「跌進缺口」的瞬間，仍然有迎着逆流往前奔跑的勇氣，才是更好地活下去的真實。

也許我們很少思考，「I'll be fine」，那個「好」的背後，要承受的，是甚麼？在無數次爬出深淵、流乾眼淚之後，那個風平浪靜的「fine」才是真正的「好起來」吧。沒有一直向好的事情，物極必反，要擁抱美好，也許真的要先承受苦難。

一時的喜悅與開心也許是情緒的翻飛，然而，保持那樣的心境才是最重要。「如何難都等待盡頭」，在那個盡頭之中，也許也會有我們想要的未來吧，在那時，大概才能說出真正的「I'll be fine」。

05 WHIZZ

「太多噪音與虛偽 太想放膽與絢麗」

二話都說

作曲
WHIZZ

填詞
鍾說

編曲
WHIZZ

監製
WHIZZ

ISSUE 2022

Written by Jeekit

「二話不說」的意思是立即行動，不說任何別的話；而「二話都說」時，也許對面的這個人真的很值得你這麼做。

《二話都說》發佈於二〇二二年二月，講述的正是一段「心靈同頻」到讓人羨慕的友誼，推薦歌曲配合MV一起「服用」。MV講述了兩個女生接通了電話在暢談，她們好像有着聊不完的話題，聊着聊着，她們睡着了並進入了僅屬於她們的「private zone」，在森林裏她們一起吃蘋果，一起打怪獸。在MV的最後，電話的一方分享着自己的夢境，而另一方早已把夢境畫了出來。本以為只是一個人的夢境，沒想到如此有默契，原來竟然是兩人的同一想像。

WHIZZ 是一支於二〇一九年組成的女子樂隊，成員有主音王雨山，結他手 Moo，貝斯手 Bowie 及鼓手 Jess。雖然目前知名度並不高，但聽到她們的歌時，我會瞬間被拉進歌曲的氛圍當中，感受她們在音樂裏散發的魅力。而她們自身就是《二話都說》的主角。四位九十後的女生是在社交平台 IG 上互相認識的。瞭解彼此喜歡的音樂類型後，發現大家取向相似，便決定「夾 band」。

WHIZZ 主打 Groovy Pop 的曲風，希望利用輕快、具節奏性的音樂為大眾說出樂團信念——「時間飛逝、活在當下、享受享樂」。WHIZZ 的原創作品主要希望將聽眾帶離繁囂的城市，透過音樂從另外一個角度展現世界的好與壞，令大家可以欣賞到現實的美好，同時紓發負面情緒。

WHIZZ 一個樂隊就定義了一種風格，用輕鬆自由的語調告訴我們身邊有哪些被忽略的小確幸。而《二話都說》的小確幸就是：除了親情愛情外，我們還可能有雙向奔赴的純真友情。

小時候結識朋友是簡單地為了一起玩，而我想，長大並不等於一個變俗氣的過程，長大後朋友雖然沒有那麼多了，但更懂得了哪些朋友更適合自己。除了一起玩的，更想找到一個價值觀一致的人，可以相互傾訴，相互理解和支持，來一場無關利益的相識。友情這件事情，既不需要承諾，也不需要證書，兩個人能同時自願保持着這份羈絆，就是一種彌足珍貴。

人生一大樂事就是，用最真的心，說最廢的話，有人陪你度過以後可以彙集成紀念冊的每分每秒！

06
R.O.O.T
R.O.O.T

「節奏開始變慢
你我街中去玩 讓那呼吸放慢」

人間有愛

作曲
R.O.O.T
填詞
Jan Curious
編曲
R.O.O.T
監製
蘇道哲

ISSUE 2020

Written by Zero

每一個覺得時間總是不夠用的城市人，都應該聽聽 R.O.O.T 的音樂。

樂隊 R.O.O.T 的四位成員，本身都是能獨當一面的音樂人。在組成 R.O.O.T 前，他們每一位都有着比 R.O.O.T 成員更出名的頭銜：觸執毛（Chochukmo）主音 Jan Curious，立足國際舞台的爵士吉他手 Teriver 張駿豪，常在作曲、編曲及監製欄看到他名字的蘇道哲 Sotoc，還有來自台灣八三夭樂隊的前鼓手黃子瑜 Fish Huang。

出於對音樂的愛，四人也偶爾想放下自己在本身工作範疇的身份，於是即便總是不夠時間，他們也決定要成立這支樂隊，藉機玩一些自己喜歡的音樂。這就是他們隊名「Running Out Of Time」的由來，因為「忙不過來」、「很趕時間」、「沒有時間細想」……每一個解讀都充滿着城市味，也是他們日常生活和工作的真實寫照。而令我更驚訝的是，他們曾在一次採訪中坦言，其實他們很少彩排，都是急匆匆便上場，但好像反而每次演出都很有趣，讓他們感覺很不一樣。

樂隊的四位成員，有的深耕在主流音樂，有的偏向追求藝術性，對音樂獨特的理解和深厚的音樂功底讓他們在處理各種風格音樂時都遊刃有餘。因此他們的作品混合了爵士、搖滾、流行等各種音樂元素，而這些元素組合在一起時，大家感覺到的不是無機的堆砌，而是一種新音樂的誕生。

R.O.O.T在二〇二〇年推出樂隊的第一首派台單曲《人間有愛》，雖然是個很宏大，很「正」的名字，但歌曲本身卻是很chill的，帶着jazz的輕鬆電子樂加band sound，自然、和諧地融合，讓聽者感覺像是身處某個酒吧，身體隨着音樂不由自主地輕輕搖晃，與周圍的人慢慢應和。正如歌詞「love is all around」，大概真正的愛應當是如此令人輕鬆舒暢吧。

在《人間有愛》裏，R.O.O.T 放過嚴肅的探討，而是將愛的主題回歸到生活的細節與人本身的感覺，「愛，就在身邊」，只需要「緊握這對手」，便已經足夠。歌曲用合唱的感覺傳達出人間大愛的氣質，卻沒有一絲壓力，前後編曲生動而富有變化，靜與鬧結合，讓整首歌非常有層次感。

試試聽着耳機裏播放的《人間有愛》，閒適地走街串巷，感受多一點來自身邊的「愛」吧。

「愛」，只要去看，便能看得見，從不缺少。

非洲的 60 秒

作曲
R.O.O.T

填詞
Jan Curious

編曲
R.O.O.T

監製
蘇道哲

ISSUE 2020

Written by man 仔

「在非洲，每六十秒，就有一分鐘過去。」自南非前總統納爾遜．曼德拉發表了這番言論後，不能理解的後人就索性把它定義為一句無用格言，甚至將它改成「非洲的六十秒，等於香港的一分鐘」這樣「無厘頭」的理論，但讓人意外的是，竟然會有廣東歌藉此為創作靈感。

作為一支由臥虎藏龍音樂人組成的新晉搖滾樂隊，R.O.O.T的成員最愛玩創新。樂隊於二〇二〇年底推出第二首原創廣東歌《非洲的 60 秒》，主音阿水 Jan Curious 最初只是順着曲調亂寫了一份「非洲雞」的詞，其他成員聽後卻一致認為比正經版本好，既搞笑又不乏新意。於是阿水便花了一個多月的時間重新學習與「雞」相關的冷知識，然後才交出了如今大家聽到的這個版本。

「非洲的雞很想識飛，非洲的雞不會放棄」，這份看似「亂噏廿四」的歌詞，其實也並非空穴來風，阿水通過資料搜集了解到雞最初是一種會飛的動物，後來經過人類的刻意配種和飼養，飛行能力才逐步退化。但儘管如此，非洲的雞與香港的雞相比，還是有着很大的區別。在寸土寸金的香港，連人都快容納不下，雞也只有活在雞籠裏生蛋的宿命，想飛也飛不出去；而非洲的雞生活在廣闊的草原上，牠們對「飛」自然能有更多幻想，就算不能飛也不會輕易放棄。

用兩地的雞作對比，本質上是想映襯香港市民的苦悶和無奈。飛，除了是雞的願望，也是人類長期以來的夢想，尤其是生活在香港這片土地的人，面對疫情肆虐、經濟衰退、房價高企⋯⋯被很多硬性條件束縛着的港人不禁發問「哪一天我們會飛」，卻始終解不開這份困惑。

雖然是一個略為沉重的話題，但這首作品無疑是想通過輕鬆的旋律，和這份玩味十足的歌詞來打破沉重感。雲集吉他、爵士鼓、鋼琴各種樂器高手的 R.O.O.T，這次在編曲上也盡力做到豐富且趣怪，不但有西方樂器和説唱的現代演繹方式，還採集了雞的鳴叫聲，以及融入了「O、McDonald」、「Ee i ee i oh」、「何家公雞何家猜」等在中西方為人熟知的老舊民謠，多種元素組合碰撞出一種獨有的風格，這也是 R.O.O.T 組建的初衷，無論在題材抑或音樂性上，都希望能為樂迷帶來一點新鮮的衝擊感。

後記

樂壇未死的「安歌」

Recole@年粵日

在我準備下筆寫這則後記的這一晚凌晨，林家謙剛剛發佈了他的第三張 mini album《MEMENTO》。當下的那一刻我正苦於不知該從何寫起，便先點開了從幾天前看到歌名就已經非常期待的這一首《邊一個發明了 ENCORE》，結果一發不可收拾，開啟了幾乎持續整個深夜的單曲循環。

因為太喜歡及打心底地被這首作品感動，我當時甚至覺得有一絲的不甘及遺憾：作為一本介紹香港新生代歌手的書，《樂壇未死——還好我們有廣東歌》竟然沒有趕上這首極具時代意義甚至能呼應主題的作品。後來在細讀一番歌詞過後，我又再轉念一想，也許我們與它之間這種不經意的錯過其實是在用另一種方式告訴我們，藉着最尾的這則後記，將這首歌當做是這本書的「安歌」也不錯。「時辰若再沒法賒賬，餘下期望，明日可補上」。趁着這次「ENCORE」，給自己一次機會將想唱的唱完，然後便說聲「再會」，保管好這團火，再期待下次的相見。總要有這樣的堅定，為未來保存那麼一點樂觀與幻想，我們才會再有拼命無恙的勇氣和力氣，支撐自己再熬出新天地。

於是我也順便大膽地想像了一下，如果之後還有機會可以推出第三本著作，或許名字就可以叫《邊一個發明了廣東歌》，如同 Wyman 藉「邊一個發明了……」這個 term 向他的兩位偶像死命打眼色一樣。希望我們的文字有幸能讓他看到，同時也感謝他這些年來一千五百多首歌詞的滋養。

正如每次的演唱會都無法將所有好歌唱盡，由於時間與篇幅關係，我們這次也未能將近年所有新人及他們的作品都一一收錄。更多的好作品，只能留待下次，或者在我們的線上平台，再逐一與大家品味介紹。

最後，依舊要不免俗地向一直支持年粵日的每一位讀者說聲感謝。我們從來不敢標榜自己為專業樂評人，但堅持推廣和分享廣東歌這件事，讓我們感覺到作為普通人，我們原來也有自己的能量去影響他人。也許很多時候我們其實只是沾了一些歌或歌手的光——大家願意來看我們寫的東西，只是因為我們剛好寫了他們所喜歡的。但在我們推薦了一些相對冷門的作品後，發現有人會因此去找來聽並為此表示感謝的時候，我們都能夠真實地感受到自己正發揮着那一點點的影響力，感染到一批遙遠的陌生人。

二〇二二年八月

樂壇未死！還好我們有廣東歌。

樂壇未死
還好我們有廣東歌

年粵日——著

責任編輯　洪巧靜
裝幀設計　Sands Design Workshop
插　　畫　OYX @ 年粵日
排　　版　黃梓茵
印　　務　劉漢舉

出　　版　非凡出版
香港北角英皇道 499 號北角工業大廈 1 樓 B
電話：(852) 2137 2338　傳真：(852) 2713 8202
電子郵件：info@chunghwabook.com.hk
網址：http://www.chunghwabook.com.hk

發　　行　香港聯合書刊物流有限公司
香港新界荃灣德士古道 220-248 號
荃灣工業中心 16 樓
電話：(852) 2150 2100　傳真：(852) 2407 3062
電子郵件：info@suplogistics.com.hk

印　　刷　美雅印刷製本有限公司
香港觀塘榮業街六號海濱工業大廈四樓 A 室

版　　次　2022 年 9 月初版

規　　格　32 開（210mm x 150mm）

ISBN　978-988-8807-52-9